だいわ文庫

30代にしておきたい
17のこと

本田 健

大和書房

はじめに 30代という「分岐点」

30代というときを迎えて、あなたはどんな気持ちがしているでしょうか。

「思っていたとおりにはいかなかったな」

「いまさら何も変えられない」

そんなふうに感じているでしょうか？　あるいは、

「とりあえず、仕事はまあまあかな」

「結婚できてよかった」

「今年3歳になる娘がかわいい」

という人もいるかもしれません。

30代は、20代と違って、人生がダイナミックに変化していくときです。同窓会で久しぶりに友人と会っても、20代の頃は、そんなに差がないし、共通の話題もいっぱいあったでしょう。

しかし、30代になってから集まると、結婚しているかどうか、仕事がうまくいっているかどうか、収入の多い少ないによって、話がかみ合わなくなることが起こってきます。

20代の同窓会では、一緒にクラブ活動をやっていた仲間で集まって話すのに、30代の同窓会では不思議と、同じようなノリで生きている人たちがグループになって話したりするものです。特に意識しているわけではないのに、お互いの空気感で、ビジネス志向の人、趣味に生きている人たちがそれぞれの輪をつくることになります。

私の30代を振り返ってみると、これまでの人生でもっとも楽しかったこと と、もっとも悲しかったこと、もっともうれしかったことのすべてを体験したように思います。父の死、娘の誕生、最初の本の出版など、人生最大級のドラマがありました。この10年のあいだに、感情的にも、経済的にも、人間的にも大きく成長したと思います。

がむしゃらに駆け抜けた20代とは違って、30代では、自分のことを落ち着いて見られるようになりました。また、自分のいいところ、悪いところなどを等身大に理解できるようにもなりました。

「自分はこんな人間だ」と思っていたことが、いろんな意味で裏切られました。そして、「これぐらいできて当たり前だ」と思っていることができず、「こんなことはできるはずがない」ということが、次々と実現していきました。

将来、「人生でもっとも面白い10年だった」と振り返ることになるのではないかと思います。

この本は、『20代にしておきたい17のこと』（大和書房刊）の続編として書きました。ありがたいことに、前著は20代以外の方、特に30代の方にもたくさん読んでいただきました。そして、「30代向けの本を書いてください」というリクエストも全国から多数寄せられました。ご要望にお応えして書きはじめた途端、インスピレーションがわいてきて、あっという間に一冊の本になりました。

読み返してみると、本質的なことをいっぱい書いたので、人によっては、相当ショックを受けるかもしれません。でも、そのショックは、人生を変える起爆剤としても使えます。ここで自分が感じたことを大切にして、人生を最高のものに変えるための推進力にしていってください。


自分の可能性が幻想的に開くのが10代。

それを試しながら失望していくのが20代。

そして30代は、希望と絶望の狭間《はざま》にいます。

気の早い人は、もう絶望の岸に渡ってしまったかもしれません。

無関心な人、無神経な人はまったく現実を見ていないので、まだ希望だけに生きていくこともできるでしょう。


しかし、30代の大多数の人は、希望と失望、絶望のあいだを行き来していると思います。それは、あなただけでなく、ごく普通のことなのです。
自分の仕事、お金をどうするのか。
自分のセクシャリティや身体とどうつき合うのか。
社会、家族、愛する人とどうつながるのか。
面倒を見なければならない親や子どもとどうつき合うのか。
それが30代の課題です。

30代の課題をうまくクリアしていった人と、そうでない人の差は、あとの人生に色濃く出てきます。
30代という時代《とき》を楽しみ、乗り越えて、幸せですばらしい40代、50代を迎えるために、さあ、希望の扉を開きましょう。

● 30代にしておきたい17のこと●目次

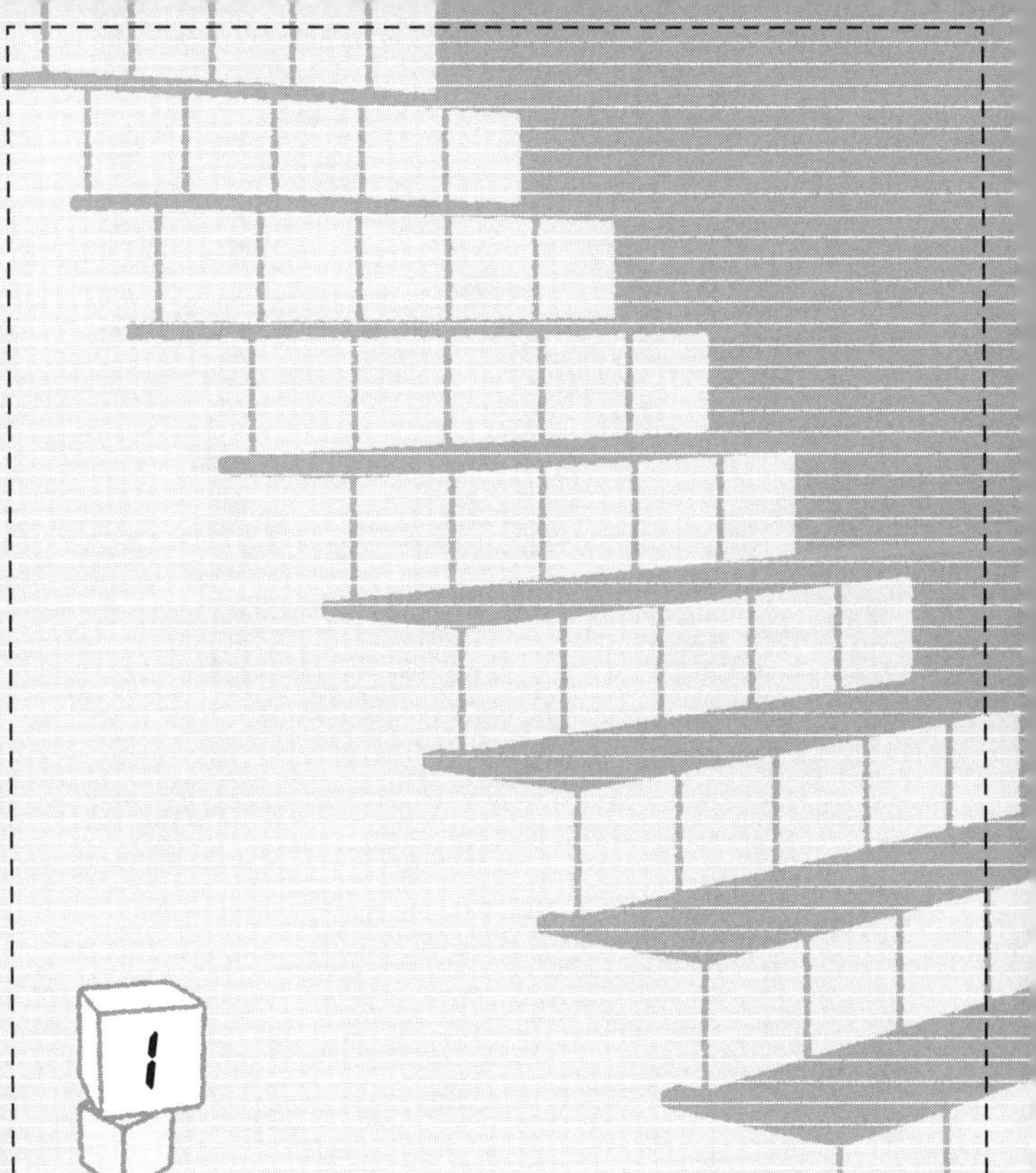

1

「すべてを手に入れることは不可能」だと知る

人生の時間は有限！

20代は、純粋に自分の可能性を信じられる時代です。「こんなことができるんじゃないか」というようなイメージがあって、それに向かって進んでいけた人も多かったでしょう。それが、「ちょっと無理かもしれない」という感覚が芽生えてくるのが30代です。

実際、やりたいことをやっているように見える人でも、30代になると、「やりたいことをすべてやる時間はないな」と感じはじめます。もしかしたら、自分のやりたいことができている人ほど、その感覚は強いかもしれません。

たとえば、ビジネスで成功している人が、アートの世界に興味を持ったりもするでしょう。スポーツもやりたいかもしれない。宗教的なことにも関わりたいと思うかもしれない。古代遺跡をまわるというのも面白そうです。

翻訳本で『死ぬまでに一度は行きたい世界の１０００カ所』（イースト・プレス刊）という本がありますが、たとえば20代でそれを読んだら、どこにでも行けるし、何でもできそうな気持ちになったと思います。「いつか全部行ってみせるぞ！」と考える人もいるでしょう。

けれども30代になると、夢や希望はぐっと現実的になり、「1年に1回海外旅行にいければラッキー」というふうになります。

自分の収入や体力、趣味嗜好《しこう》などを考えてみると、やりたいことを全部やっていこうとしたら、十分な時間はないということに気づくわけです。そうした「限界があること」を体感できるようになるのが30代です。

たとえば素敵な人にめぐり会ったとしても、全員と結婚できるわけではないでしょう。いまの日本の制度や文化では、いろいろ面倒なことが出てきます。

子どもを持つことでも、人によっては５人欲しいという人がいるかもしれない。でも、自分の年齢とパートナーの年齢を考えたら、これから５人の子どもを持つのは難しいという現実があったりするわけです。

欲しいと思うもの、実現したいと思うものが、「もう手に入らないんだ」という事実に直面しなくてはいけない。それが30代なのです。


逆にいえば、何が手に入るのかを計算できるのも30代です。

これが40代になると、もう手に入らないものばかりが目についてきて、たとえば、「こんな豪邸は手に入れられない」「海外に住むなんて、ちょっと難しそう。言葉も話せないし」「外車は買えない」などと現実的になります。

でも、30代なら、いまから海外に行って、自分のビジネスを起こすこともできるし、アーティストになることもできるのです。20代の頃から夢見ていた人生を実現することも、30代では可能です。

その意味で30代は、人生を劇的に変えられる最後の10年といえます。

1

人生の90パーセントは30代で決まる

60歳以上の成功者をインタビューしてきて、その多くの人たちが「人生の基盤づくりのもっとも大切な10年が、30代だった」と語ることに気づきました。

20代でいろいろな体験をしたうえで、パートナー、仕事、住居と、人生でもっとも大切な3つを選ぶのが30代です。

パートナーや仕事を何度もチェンジしていては、そのたびにまた最初からやり直しになります。それではいつまでたっても、人生は積み上がっていきません。

30代にどんなパートナー、ライフワークを選び、どんな人とつき合うかが、残りの人生の幸せ度、豊かさ度を決めるといってもいいでしょう。

40歳までに独立しない人、結婚しない人は、その後の人生で独立したり、結婚したりすることは、なかなかないでしょう。40歳までに子どもを持たない人は、それ以降に子どもを持つ可能性は低いものです。

40歳までに親友を持てない人は、たぶん一生親友を持つことはないでしょう。40歳までにお金に恵まれない人は、一生そのままの確率が大です。

自分の人生を変えられるのは30代まで——そう考えておくことです。

もちろん、40代になって人生が変わる人もいます。人生を変えるフットワークが軽い人は、60歳を越えても変わっていきます。

でも、それまで何も考えてこなかった人が、いきなり変わろうと思っても難しいものがあります。

人生の90パーセントは30代で決まります。30代で感じたこと、決めたこと、行動したことが、残りの人生をつくります。

だからこそ、変わるなら30代のうちだと私はいいたいのです。

1

命の誕生を見守り、見送る

30代に多くの人が、結婚、出産、転職などの人生の大イベントをこなします。そういう個人的なドラマだけでも、十分に感情的に大きな揺れを感じることが多いのですが、同じ時期に、祖父母、両親、叔父、叔母が亡くなりはじめます。自分の子どもが誕生する一方で、亡くなっていく人がいます。

そういう意味で、命の誕生を見守り、命を見送るのが30代です。親しかった人、愛していた人がいなくなり、新しい家族を迎えます。こうした慌ただしい人生の交代劇が、この10年のあいだに起きるのです。10年前のお正月には、元々の家族しかいなかったのに、いまは年配の家族が何人か減り、新しく生まれた家族が食卓を囲んでいたりします。

家族だけでなく、お世話になった小学校や習い事の先生が亡くなったり、場合によっては、学生時代の友人が、病気や事故で亡くなったりすることもあるかもしれません。友人の出産祝いも毎月のようにあるかもしれませんし、とにかく、命にまつわるドラマがあるのが、30代なのです。

つき合う人も、20代とはがらっと変わります。特に女性は、子育てを始めると、まったく違うアイデンティティで生きなくてはならなくなります。

私も育児セミリタイヤ生活を4年間やったので、よくわかります。

妻が、美容院に行くという昼下がりの午後、ベビーカーを押して一人で公園をグルグルまわりながら、「僕は、何でこんなことをしているんだろう?」と不思議に感じたことが何度もありました。

女性で、バリバリ仕事をしてきた人は、そのギャップに相当戸惑うのではないかと思います。新しい命を迎える喜び、幸せに比べたら、それぐらい気にはならないかもしれませんが、あまりの変化に、慣れるのに多少の時間は必要でしょう。

30代で起業した人は成功しやすい

仕事や収入が大きく変わるのも、30代です。20代のうちは、同級生と会っても、年収はそんなに変わらないし、役職もないので、たいした差は感じません。しかし、30代になると、年収も何倍もの開きが出て、役職につく人もいれば、いまだにうだつが上がらないままの人もいます。また、起業したり転職したりという機会に恵まれるのも30代です。

私が知っている範囲でいえば、30代に起業した人たちがいちばん成功しやすいように思います。40代だと少し遅すぎるし、20代は少し早すぎる。起業するなら30代、結婚も、20代でするよりも30代でするほうがうまくいきやすいようです。

1

自由が少しずつ奪われていく30代

30代は、ある意味では受難の時代ともいえます。なぜなら、決めていく必要のあることは、実にたくさんあり、ストレスがいっぱいだからです。

パートナー、仕事、住居を見つけるなどの個人的なことだけでなく、介護などで親の面倒を見なければならなくなる人もいるでしょう。

お金も稼がなければならない。

パートナーや家族のニーズに応えなければならない。

自分だってどう生きたらよいかよくわからないし、遊ぶ時間も欲しい。キャリアも、方向性も中途半端だし、昔夢見た留学も、このままいけば、なんとなく夢のままになりそうな感じ……。

そういうときに、子どもができて、生まれたりします。もちろん、それは人生最高の喜びでもあるはずですが、パートナーが手伝ってくれない、自分を見てくれないというような不満を感じるようにもなります。職場でも家庭でも、自分のことを理解してもらえない、自分の時間が持てない、好きなことができない……10代、20代の自由さが一瞬にして萎《しぼ》むのが30代なのです。

20代の頃、時間とお金がないと感じたことも多かったでしょうが、30代は、その両方とものの自由がなくなります。子どもがいて、夫婦共働きで、自分の両親のどちらかが病気がちだったりしたら、1日に数分の時間でさえ、ゆっくりすることはないかもしれません。お金も、独身のときには自由に使えていたのに、30代になったら全然使えなくなります。大学時代のほうがお金持ちだったと自嘲《じちょう》気味に語る30代の人も多いのです。

シングルの人も、両親との関係で、感情的に相当揺さぶられることでしょう。油断すると、仕事、家族などに振り回されて、よくわからないうちに、慌ただしく過ぎていくのが、30代なのです。

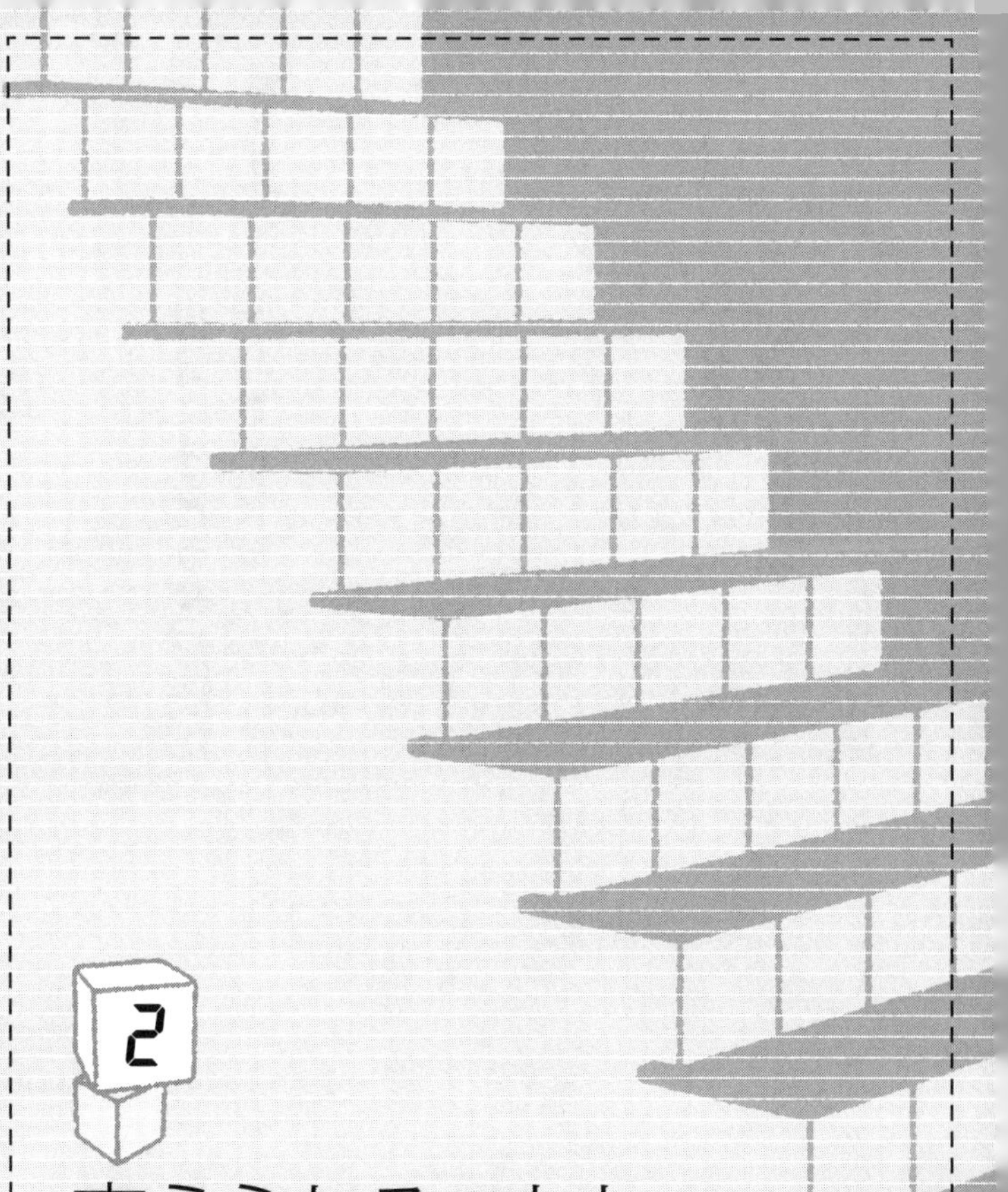

2

変えられることと、変えられないことの違いを知る

2

自分にはどうせ無理だと思っていませんか

30代というのは、できることをできないと感じ、できないことをできると勘違いしてしまう微妙な年代です。

20代の頃は、何でもできると過信して、ことごとく失敗して落ち込んだことでしょう。30代に入ると、やっぱり無理かなとあきらめてしまう分野と、じつはまだ可能性があるかもしれないと思える分野が出てきます。

たとえばパートナーシップの分野でいうと、自分はどれだけモテるか、仕事なら、どれくらいできそうかは、だいたいわかってしまいます。

だから、トライする前にあきらめたりしてしまいがちです。

逆に、30代になってから、一気に花開くこともあります。20代のうちは、両親や社会の影響を受けていて、「自分にはできない」と考えていたことがたくさんあったでしょう。しかし、それが真実ではなかったと気づくこともあります。

私が最初の本を書いたのは、34歳のときでした。

「本なんか書けるわけがない」と考えていたのは、「そんなすごいことは自分には無理だ」と勝手に思い込んでいたからです。その制限をはずしてみると、自然と文章が書けるようになり、本が出版できました。

逆に、可能性がないのに、「絶対に大丈夫だ」という幻想にしがみついてしまうところもあります。10代の体力はないのに、無理して急にマラソン大会に出ても、悲しいかな、次の日ではなく、2日後に筋肉痛になるだけです。

制限があるところと、ないところの両方を知っておきましょう。

2

役割にはまらないように気をつける

自分が知らないうちに自分に課した制限をはずすためには、「役割にはまらない」ということを意識しておくことです。

「自分は妻である」とか「夫である」「親である」「息子である」「娘である」という役割にはまってしまうと、それだけ制限ができて楽しくなくなります。

結婚したり、子どもができたりして、親として、夫として、妻としての役割にはまり、自由に生きられなくなるのが30代なのです。

それは、たとえば介護の問題。親の子ども——息子として、娘としての役割に直面することもあります。

夫として、妻としての役割にはまる人もいます。

自分の子どもの父親、母親としての役割にはまる人もいるでしょう。

仕事でも、上司、部下としてやるべきことにはまってしまいがちです。

30代というのは、そうした「役割」が徐々にエスカレートして、いちばんきつくなってくるところなのです。最初はそれをすることが喜びだったとしても、そうすることが当たり前になって、誰からも評価も感謝もされないと感じはじめた瞬間から、楽しくなくなります。


40代になったら、いまよりもう少し自分の人生をコントロールできるようになります。それだけ、あきらめなければならないことがあるということなのですが、その日をやり過ごすことが上手になります。

でも30代では、まだ20代のときに見た夢があきらめ切れない。「こんなはずじゃなかった」という思いとともに、自分の人生にがっかりしてしまうのです。

でも、ほとんどの30代が、同じような軽い絶望感を感じていることを知ると、少しは楽になるかもしれません。

20代の自分を裏切らない

「私は、こんなはずじゃなかった」
「もっとクリエイティブな仕事につきたかった」
「もっと自由に生きたかった」
「もっとセクシーになれたのに」

それなのに……いまの自分を見ると、「ブヨブヨした、この身体は何だ？」と自分にツッコミを入れたくなってしまう。それがたいていの30代だといってしまってもいいかもしれません。

動きたいのに、動けない。人によっては、自分の足下から石になっていくような感覚を持つこともあります。

20代の場合、セルフイメージが、本来の自分の実力よりも3倍ぐらい高い時期が一瞬あります。そこから比べたら、「全然イケてない自分」が、いまここにいて、クローズアップされるわけです。

20代のギラギラした頃に比べたら、30代は禅的な生き方になっています。

それだけ日常が穏やかに過ごせているといえますが、それは20代の終わりに、わずかに残っていた希望が消えてしまう人がほとんどだからです。

お金持ちになるとか、独立して大成功する、すごくモテて、お金持ちと結婚する——といった現実離れしたことは、もう考えなくなってしまう。というより考えられなくなってしまうのです。

自分の姿を鏡で見てください。体型を見てください。

自分の顔、顔のシミやたるみを見てください。

お腹まわりを見てください。

自分を見れば見るほど、ハッピーな気持ちは飛んでしまうかもしれません。

10代や20代の頃、「自分は、30代になったらこんなふうになっていたい」というものが、あなたにも、おぼろげながらにでもあったはずです。

でも、それをあなたは、ことごとく裏切っている可能性が高いでしょう。20代の理想を超える人生を実現できる人はいません（笑）。

タイムマシンで、もしも20代の自分が訪ねてきたとしたら、何といわれるでしょうか？

「こんなの自分じゃない」といって、泣き出されるかもしれません。

こうなってしまったのは、リスクを冒《おか》さず、流れのままに流されてきたからです。

もし、あなたがいま、真剣に生きていたら、訪ねてきた20代の自分に、これまでのことを誇りを持って報告できるでしょう。

あなたは20代の自分に、堂々と会うことができますか？

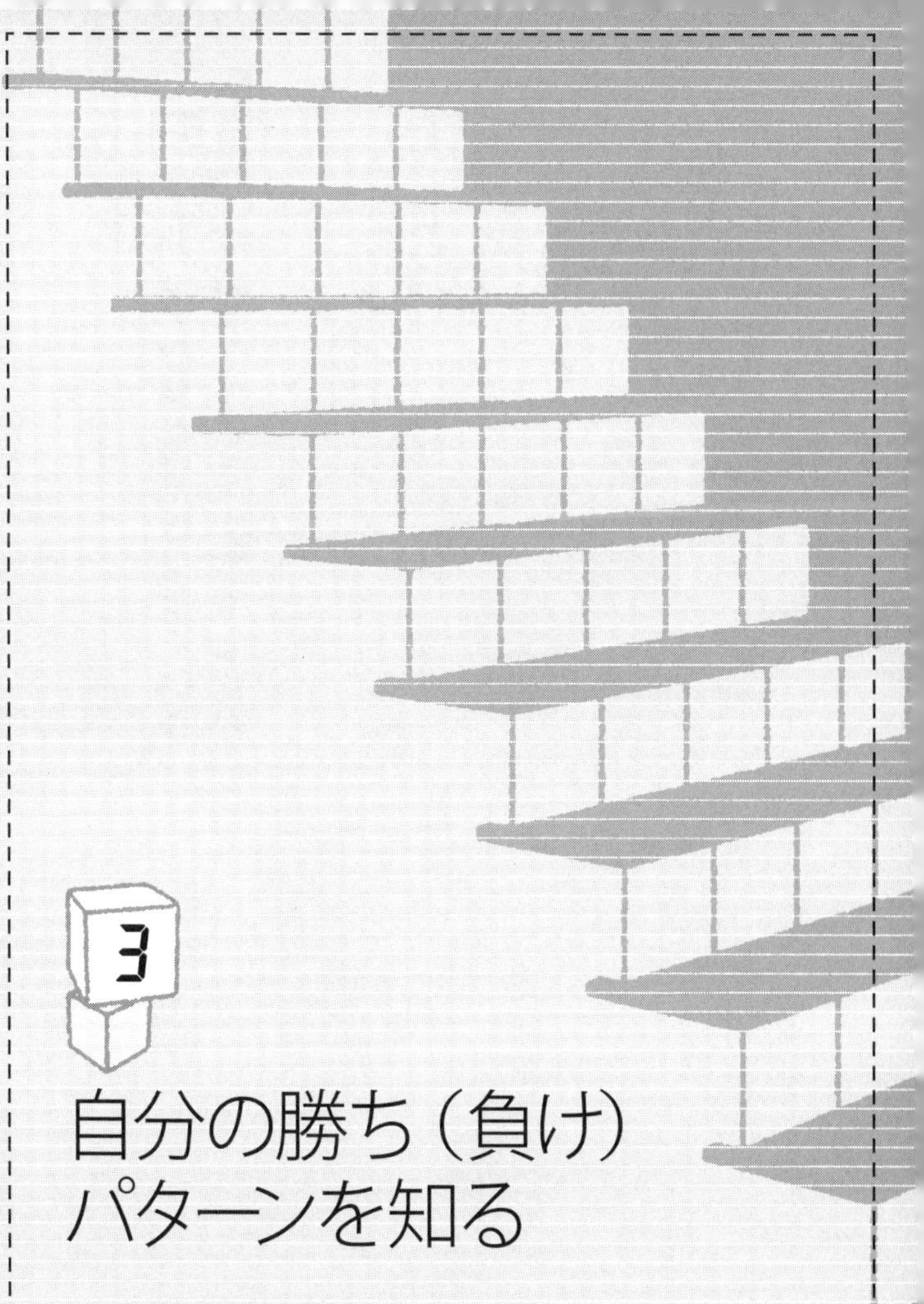

3

自分の勝ち（負け）パターンを知る

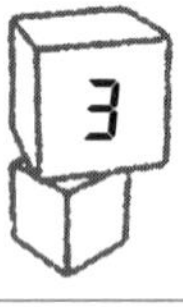

どんなときにうまくいき、どんなときに失敗したか

10代や20代と違って、30代にもなると、自分の人生に関するデータベースが積み上がってきます。

「飲みすぎたら、次の日は頭が痛くなる」といった日常のことから、「プロジェクトを任されたら、これぐらいまではできる」といったことまで、だいたいの予想がつくようになるでしょう。

仕事、人間関係、恋愛、お金、健康などで、「こういうとき、自分は調子がいい」「こういうときは失敗する」ということが、知らずしらずにわかっているのではないでしょうか。

自分がこれをやったら、簡単にうまくいく——たとえば、運動を定期的にやっているときは、気分が乗っていて、仕事、恋愛の調子もいい、ということがあります。運動しなくなった途端に、何かがかみ合わなくなって、運気が停滞していく、といったこともあるでしょう。

人によっては、たくさんの人に会っているときには調子がいい、引きこもるとよくないということもあるかもしれません。ちなみに、「自分の大好きな人と会う」というのは、たいていの人にとって、運を上げるコツです。

趣味のサークルに参加していたり、ジムに定期的に行っていたりするときには、仕事にもやる気がわいて、パートナーシップもうまくいくというようなことが起こります。

旅行に出ると、思いがけない人と出会い、それによって行き詰まっていたことが、嘘のように解決していったということを経験した人もいるでしょう。

そういう自分のパターンを知っておくのは、とても大事なことです。

3

人生をゼロから始めたことを思い出そう

人生はどんなことも必ず、ゼロからスタートしています。

30代に入るとそのことを忘れがちですが、あなたがいま自然にできていることのほとんどが、最初に見たときには、「難しそう！　自分には絶対に無理だ！」と感じたことではなかったでしょうか。

何かを新しく始めるときの、まったく未知のところからそれを学んで、うまくできるようになるというプロセスは、幼稚園の頃から始まっています。

あなたが、30代で何かを始めようと思ったら、「やったことないし、難しそうだな」と感じるはずです。そして、多くの場合、トライすることもなく、あきらめているのではないかと思います。

どんなすごいプロでも、誰もが最初は素人からスタートしているのです。

だから、思い切って、「これだ！」と思ったことには飛び込んでいきましょう。20代のような盲目的なパワーはないかもしれませんが、30代なら、まだ多少の無茶をやる力があるはずです。

いまのあなたには、データも十分、気合いも十分なはず。

自分のデータベースを読み解きながら、人生を変えていきましょう。

20代ではまだ自分の方向性も見えてこないし、自分の才能もわからない。まわりにも、混乱している人たちが多かったことでしょう。

でも、いまのあなたなら、おぼろげながらでも、自分が人よりもうまくできること、才能らしきものがわかっているはず。20代の経験を元に、自分が何をやっていくのかを決められるときが、いよいよ来たのです。

さあ、これから、何をやっていきますか？

3

他人の必勝パターン、必敗パターンを観察する

30代の自分がどう生きられるのかということを考えるうえで、自分の必勝パターンと必敗パターンを知っておくのは、非常に大事なことです。

それと同時に、自分以外の人の必勝パターン、必敗パターンを見ておくということも、同じように意味があります。

たとえば、両親、自分のパートナーや友人などのまわりの人たちが、何をやったことで人生がうまくいっているのか、あるいは、うまくいっていないのかのパターンをよく見ておくのです。

成功している人というのは、自分のパターンを突き通すと同時に、違うパタ

ーンも、うまく取り込んでいるものです。

そのパターンの引き出しが多ければ多いほど、何をやっても成功できる人になれます。また、失敗しそうなときには、そこからカムバックする処方箋《しょほうせん》を膨大なデータベースから引き出すこともできるわけです。

30代で他人の人生の研究をしていくと、40代にそれが生きてきます。人生の達人のいいところを真似していく、その中で、「こうやったら、絶対に大丈夫だ」という確信が持てるようになってきます。

幸せで、うまく人生が流れている人のリズムを自分の中に取り込んでいきましょう。

その後の人生の展開の早さが、そのことによって全然違ってきます。

自分の必勝パターンをつくり出す

「自分は、人とさえ会っていれば、ずっと気分よく過ごせる」
「運動さえしていれば、運が向いてくる」
「バンドの練習をした次の日には、不思議と契約が取れる」

そんなふうに思っていると、不思議なことに、実際、思ったようになっていくものです。

だから、「何をやっても自分はうまくいくんだ」という根拠のない確信を持てるかどうかが大切なのです。ジンクスのようなものでもかまいません。

逆のパターンを知っておいて、それを避けることもできます。私の例でいうと、気分が乗っていないときというのは、油ものを食べる傾向があります。そして、太ってしまう。だから、自分が甘いものを食べたがっている、脂っこいものを食べたがっていると感じたときには、「おっと、このままじゃダメだな」となります。といっても、食べてしまうことも多いのですが……。

「うまくないほうに進んでいる」と思ったら、道を戻さなければなりません。そのために、「自分が、こうなったらいけないぞ」というパターンを知っておくことは大事なのです。

なんとなく、自分は悪いほうにいっている、うまくいかない道を選んでいると感じることがありませんか？

どんなときも、直感を大切にしてください。そして、自分の必勝パターンをつくり出して、そのとおりに実践し、最高の毎日を生きてください。

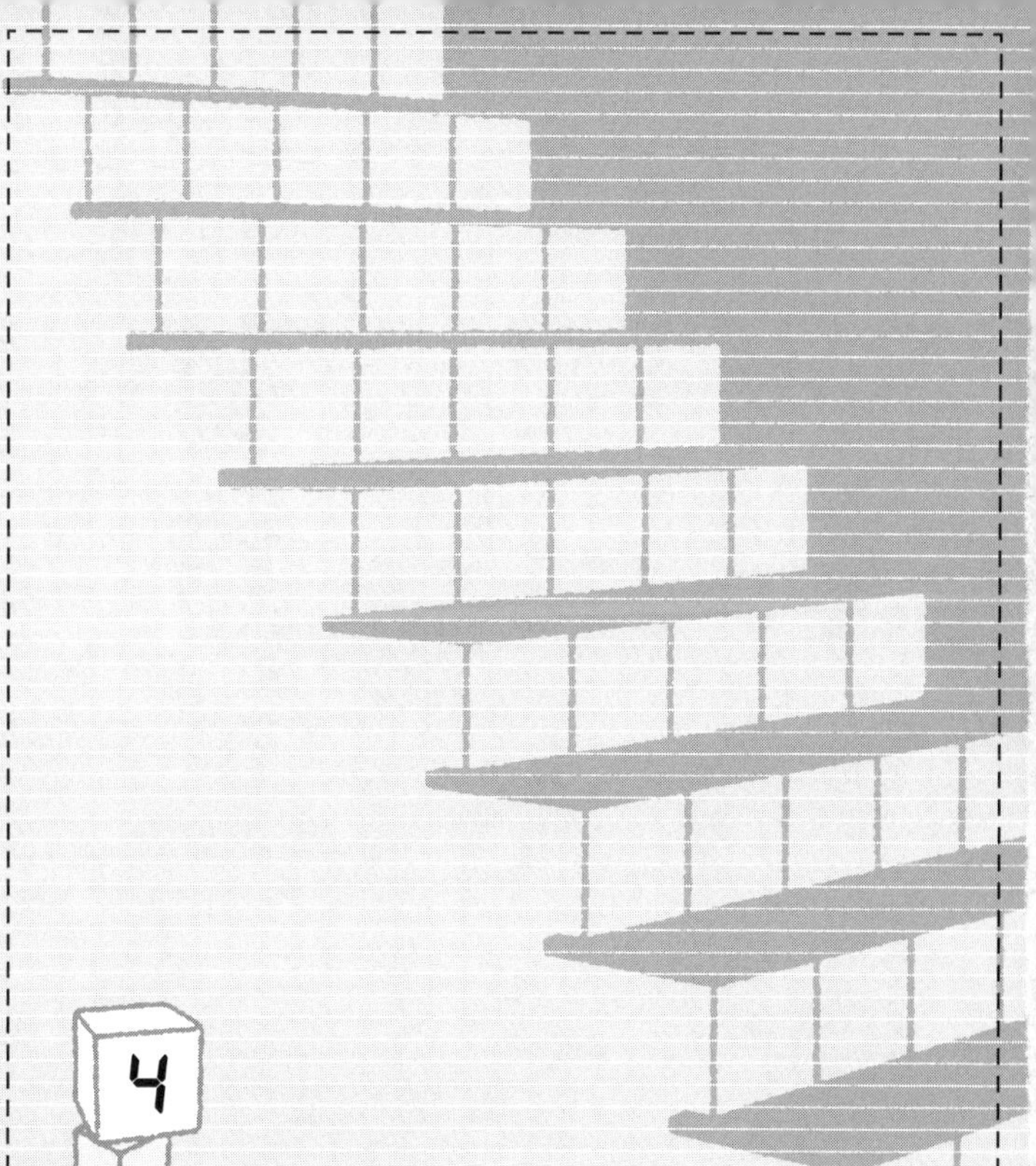

4

セルフイメージを定期的にチェックする

4

自分の人生には、何がふさわしいのか

20代ではどんどん変わっていたセルフイメージも、30代になると固まってきます。たとえば収入はこれぐらい、職業はこれ、パートナーはこんな人というように自分の限界を感覚的に知るようになります。

この3年を振り返ってみてください。

収入は、大幅に変わりましたか？

パートナーはどうでしょうか？

住んでいる場所はどうでしょうか？

30代に入ったら、3年以上、ほとんど収入は変わらない、パートナーも変わらない、住んでいる場所も変わらないという人は少なくないと思います。

変わらないといけないという話ではありません。

知らずしらずに固定化されていくセルフイメージを、定期的にチェックしていくことで、自分の人生に何がふさわしいのかということを考えるのです。

お金を得る方法、パートナーとのつき合い方、ちょっとした生活習慣――それらを定期的にシフトさせていくことです。特に大事なのは、考え方、感じ方です。自分の考え方、感じ方が固まっていないかということをチェックするようにしましょう。

セルフイメージとは、自分が誰なのかというイメージです。どういう仕事をして、いくら稼いで、どんなところに住んで、誰とつき合っているのが、ふさわしいと考えるかです。

このセルフイメージをチェックしておくと、自分がどんな状態にいるのか、よくわかります。チェックしたあとは、「自分には、何がふさわしいのか」を落ち着いて考えてみましょう。

4

パターンを変えて、いままでのセルフイメージを壊す

人生を展開させるには、「パターンを大きく変えてみる」ということがあります。それを講演などでお話しすると、「じゃあ、会社を辞めます」「離婚することにしました」という人が現れて、びっくりすることがあります。

「パターンを変える」とは、いままでの自分のやり方や考え方、立ち位置や役割を変えてみるということです。だから、ある人にとっては、それが「独立する」「離婚する」ということになるかもしれません。そこから飛躍してチャンスをつかむ人もいますが、変化が激しすぎて、不幸になる人もいます。

パターンを変えましょうといわれて、「よし、新しいことにチャレンジしよう！」という人もいれば、「帰ったらパートナーに愛しているっていおう」と

いう人もいる。どちらも、「ちょっとした変化」ですが、それぞれに、「取りたいリスク」「やりたいこと」は全然違うわけです。

仕事のやり方を変えてみる、お金の受け取り方を変えてみる、投資に挑戦してみる、といったこともパターンを変えるのに役立ちます。

結婚したパートナーと、独身時代のようなロマンティックな夜を企画してみるなど、できることがいっぱいあります。シングルで、パートナーが欲しい人は、お見合いパーティーみたいなものに行ってみるなど、ふだんやらないことをどんどんやってみましょう。

パターンを変えることで、いままでのセルフイメージを壊すことができます。

そして、一度壊れたら、また新しいものにつくり換えるチャンスになります。

ふとしたことがきっかけで、10年後には、「あれが分岐点だったんだな」と思えるようになるでしょう。

4

自分にとっての幸せ、豊かさを定義する

30代に入ると、20代の頃の幻想は消えてなくなっていきます。白馬の王子様が迎えにきて結婚することもないし、独立して起業をすることも、お金持ちになって成功することもリアリティのないイメージでしかありません。

それが悪いというのではなく、むしろ、そうして現実を知っていく時期だといえるかもしれません。

そんなふうに、現実的な自分の人生の大枠をつかみはじめた30代に、自分にとっての「幸せな人生」を定義しておくのは、とても大切です。

幸せは、人によって全然違います。年収何千万円も稼ぐことや高級車に乗る

ことが、必ずしも幸せにつながるわけではありません。

幸せの意味は、30年前に比べたら、とても多様化しています。

家族の時間を充実させること、プライベートの趣味の時間、自分が大切にしている研究ができることなどのほうが、本人にとっては、はるかに意味があることかもしれません。

幸せの基準が不明確だと、まわりの風に流されます。仕事、お金、パートナーシップ、家族のあいだに吹く風に翻弄《ほんろう》されていては、何も選べないまま、嵐に流される筏《いかだ》のような生活になってしまいます。

大切なのは、自分にとって、「幸せって何？」という問いに対する答えを明確にしておくことです。

5

お金と真剣に向き合う

5

いくら稼いで、いくら使うのかを決める

お金は、パートナーシップと並んで、30代の人生を左右する要素です。

稼げる人は、収入がどんどん増えるし、稼げない人は稼げない——。20代から、新しく一歩進んだステージに、それぞれの人がいるわけです。

サラリーマンの人たちの稼ぎ方は、安定したまま固定化します。

フリーランスの人の場合は、収入の上下の幅が激しく揺れるときでしょう。

だから、自分がいくら稼ぐのか、いくら使うのかのプランは立てにくいかもしれません。

けれども、だからこそ、自分がいくら稼ぐつもりなのか、いくら使うつもりなのかを考えておくことが大事なのです。自分がいくら稼げるのか、稼ぎたい

のか、いくら使うのかを見誤ると、自己破産の憂《う》き目を見たり、あるいは、いくら稼いでもお金が残らなかったりということになります。

サラリーマンの人も、30代で、いまの収入をどこまで伸ばすつもりなのかを考えてみるといいでしょう。

「もうこれでいい」と思うのであれば、堅実な生活をしていかなければなりません。もっと上を目指すのであれば、積極的に投資をしたり、給料を上げるためにスキルを身につけたり、独立の準備をしていくことも必要です。

そういうことを決めなければいけないのが、30代なのです。

「自分はもう、こんなもんでいいや」と考えたところが、あなたの人生の上限になります。そこからは、もうだいたいあなたの人生は読めてきます。

それが不幸というわけではありませんが、変化の少ない人生といえるでしょう。それを選択するのも一つの生き方です。

5

35歳を過ぎて、急にお金持ちになる人は少ない

30代で、その人の「お金の人生」はおおよそ決まってしまいます。

35歳を過ぎて、急にお金持ちになる人はあまりいません。成功する人は、20代でその片鱗《へんりん》を見せていますし、30代には、何らかの結果が出ています。結果が出せていない人は、お金とのつき合い方が、まだ定まっていないのです。

厳しい言い方かもしれませんが、30代のときに、「一生食べていける資産を40代でつくれている自信」がなかったら、将来、経済的自由を得るのは難しいと思ったほうがいいと思います。

もしも収入の20パーセントずつを残していたら、5年で1年分の収入を貯蓄

できます。それを20年貯めていたら、４年分の生活費が元金として残っているはず。それを運用していけば、一生食べる分くらいの財産はできていきます。50歳前に、ある程度の資産ができていなかったとすれば、それはお金とのつき合い方が、普通の人と同じで、常識的だったということになります。収入が少なすぎたか、使いすぎているために、お金が手元に残らなくなっているのです。そのことを知っておかなければなりません。

お金と上手につき合うことができれば、人生でやりたいことを自由に実現できます。しかし、一歩間違えば、たくさんの人を巻き込みながら、不幸になる可能性があります。

40代は、あきらめの数値の中から、その数値をやりくりすればいいので、ある意味、簡単です。

「もう起業したりすることはないだろう」

「子どもにはこれだけの費用がかかる」

「退職金はアテにできない」

などなど、よくも悪くも、「自分の行く末」が見えています。結果として、それにかかる費用、かからない費用もわかってきます。

でも30代には、まだ希望が残っています。自分の才覚で独立してやっていくこともできる。そのために、「じゃあ、いくら何に投資するのか」というようなことを自己投資も含めて考えてみましょう。

30代にいくら稼いで、いくら使うのかということが、その人のお金の人生を決めます。他の分野でもいえることですが、経済的な面からも、30代というのは人生の基盤をつくる、とても重要な時期だと思います。

5

あなたは自分に どんな保険をかけていますか

これからは、一流企業に勤めている人でも、安定はないかもしれません。先が読めない時代のため、いざというときに、本業とは別に稼げる手段を持つことも必要です。

もしも会社が倒産したら、自分はどうするのか？
何によって、稼ぐことができるのか？
いざというときの準備をしておくことは、決してマイナスにはなりません。

たとえば、運転免許やアロマセラピーやマッサージ、医療事務やホームヘルパーの資格など、これさえあれば、いざというときに食いっぱぐれがないというものを持っておくのも、30代の保険といえます。
そういう保険があると、いまの仕事や環境にしがみつかなくて済みます。迷いがあっても、会社を辞めるということも、思い切って決断できるかもしれません。実際にスキルや資格にピンチを救われるということはあります。

私は、会社を辞めたり、人生を大きく方向転換したりすることを勧めているのではありません。ただ、いざというときのための保険をかけておくのは、悪いことではないと思うのです。そこを考えている人は意外に少ないのです。

ここで大切なのは、じつは、何かの資格を取っておくということではなく、「何があっても、これをやったら食べていける」という自信を持っているかどうかです。

それさえあれば、たとえ失敗してもリスクは怖くない。「いまの仕事を失ったら、どうしよう」と不安におののく必要もなくなるのです。

5

お金が人に与える、感情的インパクトを理解しておく

現代の生活では、そのクオリティは、ある程度、その人の収入の多い少ないによって決まるといえます。

たとえば、収入が月に30万円の人と、１００万円の人とでは、楽しめる世界がまったく違ってきます。

それは、いまの社会が、お金を出せば出すほど好条件なもの、クオリティの高いものが手に入るようにできているからです。

だから、子どもに「いま欲しいものは何ですか？」と聞いたら、大半が「お金！」と答えます。お金があれば、いろんなことができることを、子どもでさえよく知っているのです。

幸せや豊かさを感じるうえで、収入の多さも大事ですが、それと同時に、その収入を得るために、どれだけの精神的、肉体的エネルギーを使っているのかも、とても大切な要素になってきます。

どれだけ高収入を得ても、心も身体もボロボロになっていては、その価値は半減してしまうのではないでしょうか。

お金が人を混乱させるのは、どれだけ稼いでも、なかなか手元には残らないようにできているからです。

ふだん、節約を意識していても、お金を残すのはほぼ不可能です。なぜなら、この世界には、お金を使わせようとする仕掛けがいっぱいあるからです。

また、巧妙なマーケティングのせいで、お金のない不便さが必要以上に強調されています。そのために多くの人が「お金がなければ生きていけない」という切迫感を持っています。そのプレッシャーに人は、生命を危険にさらすことさえあるのです。

お金のすばらしさと怖さの両方を感じておきましょう。

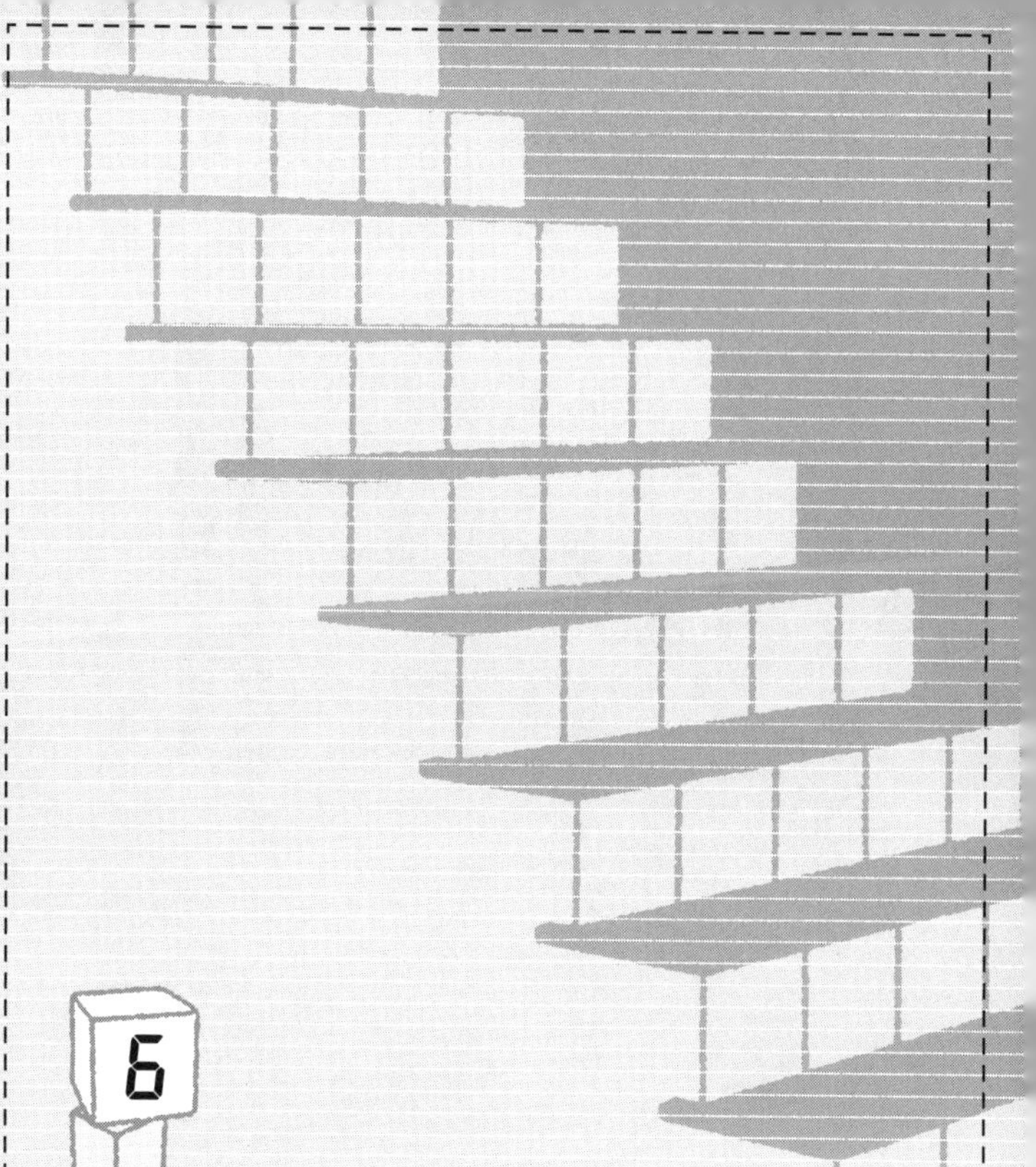

6
パートナーや子どもを持つかどうか決める

6

30代の決断で、人生はまったく違うものになる

一般的に、パートナーや子どもを持つ人は、20代、30代にそれを経験していました。ちょっと前だと、30歳過ぎての出産は高齢出産のイメージがありましたが、いまではごく普通になりました。

キャリアの道を選んだ女性の多くは、30代で、結婚、出産を経験しています。20代でパートナーを見つけるところまでいっても、結婚や出産となると、慎重になって、30代になってしまうのかもしれません。

20代の3年と30代の3年は違います。20代の3年には、いろんなことが起きます。その3年のあいだに、ひょっとしたら、友人が10人ぐらい結婚するかも

しれません。でも、30代、特に後半の3年には、一人も結婚しないどころか、離婚する人が出てきたりするでしょう。

30代の3年は、恋愛に関しても、人生が固まっていく3年だと思っておいていいのです。社会的地位が上がっていくにつれ、気軽に誘ってくれる人が減ってきます。パートナー候補の人と日常的に会う機会も減ってくるので、できるだけ早いほうが有利だといえます。

将来、パートナーや家族が欲しいと思う人は、積極的にパートナー探しをしてみましょう。年齢が上がるにつれ、自分の中にある男性性、女性性の磁石が弱まっていきます。

しばらくシングルでいる人は、パートナーを探そうとするのは、どこか「あさましい」と感じているかもしれません。しかし、人間である以上、パートナーを求めるのは、ごく本能的な行為です。ちょっとした気恥ずかしさを乗り越えて、生涯をともにしたいという人を探してみましょう。

6

パートナー、子どもがいる生活をリサーチしておこう

子どもを持つかどうか。これはパートナーを持つかどうかと同じぐらい、人生でもっとも大事な選択といえるでしょう。あとでお話ししますが、子どもを持ったから幸せになれるということはありません。

子どもを持つかどうかで、人生はまったく違ってきます。パートナーと別れることはできても、子どもと縁を切ることはできないからです。

あなたは、子どもが生きている限り、一生その子の親であり続けます。この縁は、そんなに簡単に切れるものではありません。

子どもは不思議な存在で、欲しいときには来ず、来ないでほしいときに来たりするものです。ここに人生のドラマがあります。子どもは、授かりものなの

で、なかなか思うとおりにはいかないものです。どうしても、自分の子どもができず、それでも子どもが欲しいという場合は、養子をもらうという選択もありえると思います。

お金持ちになった人は、「お金持ちになるまで、お金があるという世界を知らなかった」といいます。子どもを持っている人は、「子どもを持つすばらしさは、持ってみないとわからなかった」といいます。いろいろ聞いてまわっても、人生で最高に幸せだった瞬間は、子どもが生まれたときだったと語る人は多いようです。同時に、子どもの問題でいつも振り回されている人もいます。

子どもを持つとはどういうことなのかを、リサーチしてみましょう。その喜びと大変さを実際の体験者から聞いたうえで、自分なりの考えを持っておきましょう。

パートナー、子どもを持つとどうなるのか。これからの人生を考えるときに、いいことも悪いことも含めて、リサーチしておくことは大切です。

6

子どもと最高の思い出をつくる

30代で、子どもを授かる人は多いでしょうが、その幸せをかみしめる間もなく、忙しい毎日を送っているのではないでしょうか。

子どもは、あっという間に大きくなります。生まれたと思ったら、もう6カ月検診。保育園、幼稚園、小学校までは過ぎてみると、ついこのあいだのことのようです。

子どもと一緒にいて、心から楽しいのは、最初の10年です。ちょうど、人生でもっとも忙しい30代と重なる人も多いでしょう。

「人生でいちばん後悔していることは？」という問いの答えで多いのは、「子どもとの時間をもっと持てばよかった」というものです。あなたに子どもがいるとしたら、ぜひこの言葉は受けとめてもらいたいと思います。

子どもに必要なのは、お金でも、おもちゃでもなく、注目です。公園などで、子どもがいちばん親にいう言葉は「お母さん（お父さん）、こっち見て！」です。子どもは、とにかく、「見てもらいたい」のです。ちなみに、それに対して両親が子どもにいう、もっとも多い言葉の３つは、「静かにしなさい！」「危ない！」「そっちに行っちゃダメ！」です。ここにコミュニケーションのズレがあります。将来の親子関係を暗示していると思いませんか？

子どもがいる人は、思い出をいっぱいつくってください。お金をかけて、世界一周の旅に出る必要はありません。近所の河原でキャッチボールをするだけでもいいのです。「一緒にいる」だけで、もう十分なのです。あとは、にこやかに微笑みかけて、「愛しているよ」と伝えてあげてください。

あなたのお子さんが、将来、お父さん、お母さんが一緒にいてくれたこと、そして「愛している」といつもいってくれたことさえ覚えていたら、自信を持って何にでも挑戦していける人になるでしょう。

6

積極的にシングルを選ぶ人は少ない

40代、50代をシングルでいる人たちにシングルでいる理由を聞いてみると、「なんとなく、いい人がいなかったから」という人たちが大半です。彼らは筋金入りの独身主義者ではなく、いい人が現れるのを待っていたら、いまに至ったというのが現状のようです。

「いつもいい人がいないか探している」といいながらも、毎日、職場と家の往復で、1週間、パートナー候補の人とは一人も会わない生活を続けていたりするのです。逆に、一人でも満たされた生活を送っているともいえます。

家族を持つ、パートナーと一緒に生活するには、生活のリズムを自分以外の人と合わせなければなりません。

「一人でいること」に3年以上慣れてしまったら、他人のリズムに合わせるのが億劫《おっくう》になってしまうようです。

20代のときは、至るところに出会いの場所があります。職場でも、趣味のサークルでも、レストラン、バー、映画館でも、知り合うチャンスがいっぱいあります。友人の紹介、結婚式の二次会など、出会い放題です。

しかし、パートナーの椅子取りゲームが一段落した35歳ぐらいになると、パートナーシップの風がほとんど吹かなくなります。

友人でも、結婚して子育てに忙しい人とは疎遠になり、シングルの友人とは一緒にご飯を食べにいっても、誰かを紹介し合うわけでもありません。落ち着いた「凪《なぎ》の状態」になってしまうのです。

パートナーが欲しければ、ロマンスの風を起こしましょう。

6

ハッピーシングルという生き方もある

人生には、パートナーや家族を持たない選択もあります。

それを積極的に選ぶのか、なんとなく一人になってしまったのかで、人生の楽しみ方が違ってきます。

私のまわりには、ハッピーなシングルライフを送っている人が何人もいます。彼らの特徴は、積極的にその生活を選んでいることです。

パートナーシップに関する調査で、「世の中でいちばん幸せな人」は、パートナーがいて、ラブラブな関係を築けている人だそうです。

では、2番めに幸せな人はどんな人でしょうか？

それは、「シングルの人」だそうです。

3番めに幸せな人はパートナーといつも喧嘩して、ちょっとイライラしている人。人生でいちばん不幸な人は、パートナーとギスギスの関係になって、訴訟したり、殴り合ったり、憎しみ合ったりしている人なのだそうです。

そうだとすれば、ハイリスクハイリターンなパートナーシップ、家族の道に入るかどうかは、現実的に考えましょう。

自分は向いていないと思ったら、幸せなシングルの道を選んだほうがいいのです。パートナーシップや家族でギスギスの関係になってしまうよりは、はるかに人生は安定して幸せだと思います。

必ずしも、一人でいることが「不幸」につながるものではないのです。

結婚して得られる喜びもある代わりに、結婚して得る「苦労」や「不幸」もあります。それだったら、一人のほうがハッピーだともいえるでしょう。

子どもとの暮らしはかけがえのないものですが、ほぼ１００パーセントの確率でイライラさせられることが多くなるし、病気やけがをするのではないかという心配も一生ついてまわるでしょう。

だから、パートナーシップで成功できる数パーセントに入る自信がなければ、シングルで生きる選択もありだということを覚えておいてください。

パートナーや子どもを必ずしも持つ必要はありません。それは本人の生き方の問題です。職種やその地域の文化によっては、結婚しないうちは半人前と見られることもありますが、いまは、あらゆる価値観が多様化している時代です。

シングルで生きるにしても、パートナーや子どもを持つにしても、自分でその生き方を選んで決めましょう。

それをいつでも選べる——違うなと思ったら、その生き方を変えられる。そんな余裕を持ってほしいと思います。

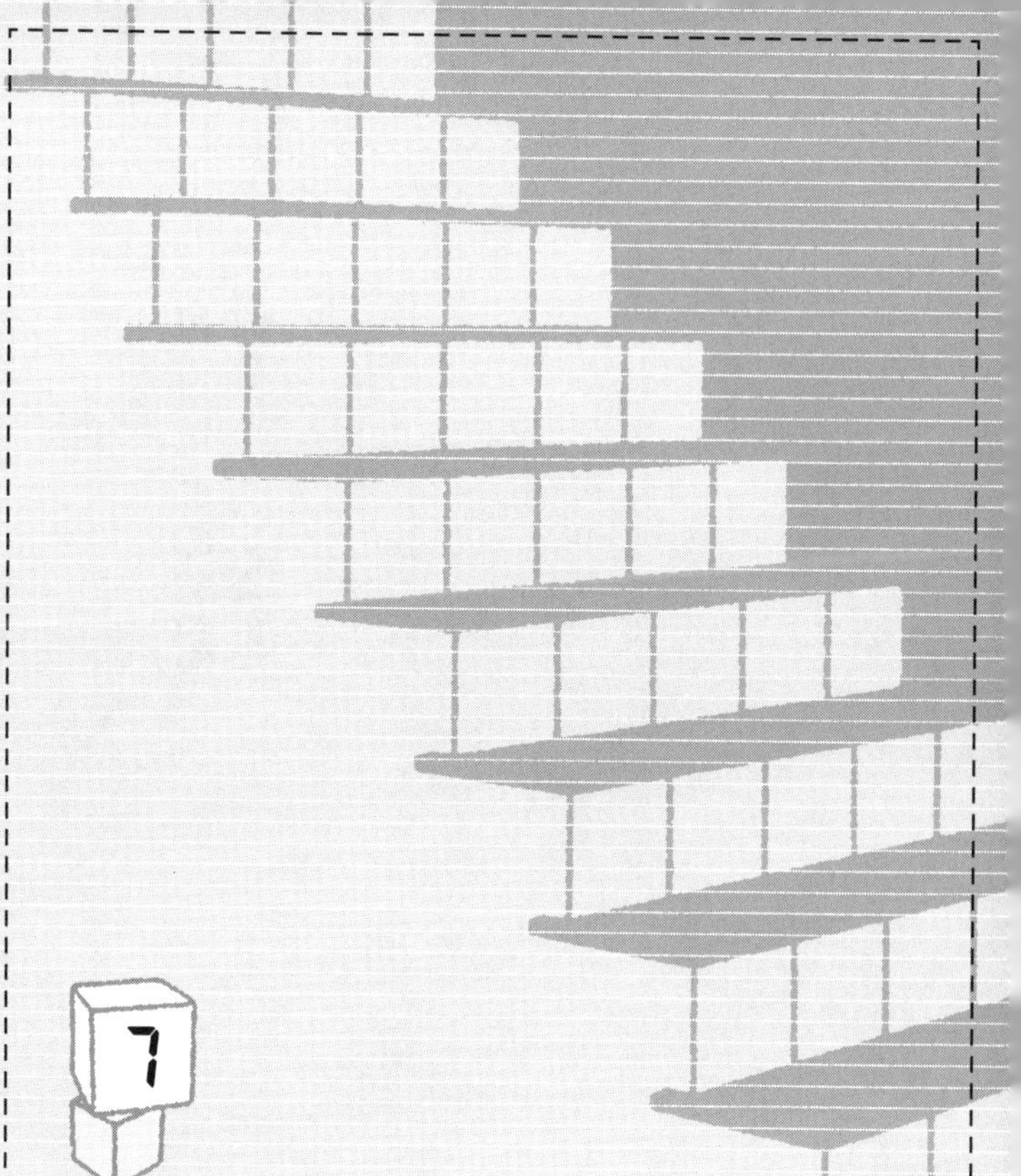

7

自分の居場所を決める

7

自分は、どの分野で何をしていくのか

自分の居場所を探すのが20代だとすれば、自分の居場所を決めるときが30代だといっていいでしょう。

自分の居場所というのは、仕事でいうと、専門分野です。また、家庭で、コミュニティーでの居場所かもしれません。どこかに属しているという安心感は、幸せを感じるうえで、とても大事です。

この居場所は、「不器用な人」のほうが見つけやすいかもしれません。「器用な人」は、何をするにしても、それほどの苦労もなくできてしまうので、一つに絞《しぼ》ることが難しく、ついふらふらしがちです。

まわりの目には、「気が多い」というふうに映ったりするかもしれません。

たとえばそれは、素敵な女性たちにかこまれている男性と同じです。彼のまわりには、おとなしい日本人タイプの女性であったり、ラテン系のパワフルな女性であったり、モデル系の女性たちがいたりします。その女性たちの中のどの人も素敵だなと思って、一人に絞り切れずにボヤボヤしているうちに、結局、誰もいなくなってしまったということになりかねません。それは椅子取りゲームで突然、音楽が止まった瞬間に自分の席を確保できない、あの状況に似ています。


自分は何をやりたいのか？

建築なんだろうか？　それとも商売なんだろうか？

ＩＴなんだろうか？　教育なんだろうか？

政治なんだろうか？　アートなんだろうか？

そうして考え、行動してきた結果、30代になって、「自分はこれで生きていこう」というのがおぼろげに見えてくるものです。

「自分はここで骨を埋《うず》めよう」という感覚を持てるものに出合うことができた人はラッキーです。

30代でその感覚が持てないと、根なし草のようになって、40代になっても何も積み上がらない人生になります。

30代のうちに、「この分野で生きていくんだ」という自分の方向性を定めることです。そして、その中で、自分はどんな役割を担《にな》うのかを考えましょう。

自分はいったい、何をやりたいのか？　そのことを見極めることです。

それまでに縁があった分野、偶然やることになってしまったことに、とことん打ち込んでみるというのも、30代の、一つの自分探しのやり方です。

20代のダイナミックな自分探しではなくて、30代は、ある意味メンタルな、自分の内面と向き合いながらの自分探しになります。

そういう20代と30代の違いを知ることも、自分の居場所を決めるうえでは大切な要素になります。

7

積み上げてきたことの結果が人生を方向づける

自分の居場所が定まらないと、積み上げることができません。

たとえば作家として生きていくということが定まらないと、「本当は文章を書きたいんだけど……」といいながら、営業の仕事をしていたりします。

また、研究をやりたいのに事務をやっているとしたら、研究者としての実績が積み上がっていきません。

「自分は何を専門にやっていくのか」ということを決めると、それに応じた世界がスタートします。

決めるのは、あなたです。自分で決めることが大事なのです。

20代のうちは、自分の立つ場所を決めることができません。でも、30代になったら、とにかく一つ決めてみる。そして、それをやって違ったら次に行けばいいのです。それくらいの気持ちで始めてみることです。それをやらないで、ずっと決めないままにしていると、「年数のかけ算」が成り立ちません。

年数のかけ算というのは、年数が増えれば増えるほど才能も開発され、経験も豊かになり、人脈も増えるということです。知識もノウハウも、年数が多ければ多いほど、それだけたまっていくわけです。

やはり、基本的には、その業界に長くいる人のほうが有利です。

そのぶんフレッシュな視点を失うというマイナス点はありますが、それだけ経験があるわけで、消去法で、最低限してはいけないこともわかる。それを避けられるだけでも、全然違うはずです。

7

専門分野にも目標型と展開型がある

『普通の人がこうして億万長者になった』（講談社刊）という本を書いたときに、たくさんの日本の億万長者をインタビューしました。

そのときに、成功するタイプには「目標達成型」と「展開型」の二つがあるということに気がつきました。

「目標達成型」とは文字どおり、目標を打ち立てて、それに向かって成功する人。

「展開型」とは、何も考えずに目の前にあることに打ち込んでいくうちに、チャンスに恵まれて成功していく人です。

専門分野を確立するのにも、この目標達成型と展開型という考え方が当てはまるように思います。

自分の目標を立て、確実に専門分野を確立していくタイプは、20代にこれと決めたら、ずっとそのままその道を究《きわ》めていきます。そういう具合に、その世界で第一人者になっていく人はいます。

展開型の人は、本人は意識していないのに、上司からの命令だったり、あと押しされたりして、専門分野が変わっていくということがあるようです。

そして、気がついたら、たまたま選んだ分野で、思ってもみない実績ができて、その分野の専門家になっていたりするのです。

どちらがよい悪いではなく、いろいろなやり方や考え方、感じ方があっていいと思うのです。

自分のタイプに合ったやり方で、自分の居場所をつくりましょう。

8

両親とお別れしておく

8

親と友人になれるとき

20代のうちは、自分のことに忙しすぎて、両親のことはふだん、あまり意識しないと思います。意識することがあるとしたら、面倒くさい電話がかかってくるとき、病気になったとき、「結婚しろ」「子どもはどうしているか」など、うるさく詮索《せんさく》されるときぐらいかもしれません（笑）。

20代は、両親とどうつき合っていいのか、戸惑った人も多いでしょう。

30代になると、ようやく感情的に両親といい距離が取れるようになってきます。人によっては子どもが生まれたりして、ようやく親の気持ちがわかりはじめます。

自分の子どもを持っている人は、赤ちゃんが生まれたときに、「ああ、子どもを持つことは、なんてすばらしいんだろう！」と、感動したことでしょう。

どんな親も、子どもに何らかの愛情を持つと思いますが、子どもでいるうちは、そのことが実感できません。自分が親の立場になって初めて、「自分も愛されていたんだ」という、その深い愛に気づくわけです。

それと同時に、子どもから見た親というのは「すごい」と思っていたけれど、誰でもなれるもので、「じつにいい加減で、頼りないものだ」ということも、実感したでしょう。自分の両親も、「ダメなりに、じつは結構がんばっていたんだな」と優等生になれなかった者同士の不思議な連帯感を持つかもしれません。

子どもを持っていない人でも、自分が生まれたときの親の年齢に達したとき、あまり成熟していない自分を発見すると思います。同い年の両親に思いを馳《は》せ、親しみを感じることができたら、もう対等な関係だといえるでしょう。

そんなふうに、親と友人になれるのが30代です。元気なうちに、自分が生まれた頃、どんな生活をしていたのか、聞いてみるといいでしょう。きっと、親の違った一面が見られると思います。

8

お別れできる準備をしておく

親が長生きする場合は別として、早い人だと、30代のうちに親が亡くなっていきます。

30代のうちに親が亡くなる場合の多くが、突然の病気か事故が、その原因でしょう。そういう場合は、お別れをする間もなく、親が急に逝ってしまうのです。急病や事故で両親のどちらかを亡くした人の多くは、お別れをいえなかったことをとても残念に思っていると語ってくれます。

そう考えると、30代になったら、自分の両親と、元気なうちにきちんとお別れをしておくことです。

別に、涙の別れをしなくてもかまいません。どれだけ感謝しているのかをふだんから伝えておきましょう。

両親にふだんから感謝を伝えられていると、万が一の場合でも、悔やむことは少なくなります。もちろん、悲しみが急に癒《い》えることはないかもしれませんが、それでも親に自分の感謝の気持ちを伝えておけたことは、心の平安をもたらすと思います。

両親とうまく心がつながっていないと、どこかで親離れができないまま、なんとなく子どものままでいるようになってしまいます。両親といい関係を持っている人は、根がしっかりはられていて、安定感があります。

30代で親とちゃんとお別れをしておくと、自分の中のわだかまりも消えていって、ようやく社会人として機能できると思うのです。

親と、友人のように対等になることができれば、ようやく自分のオリジナリティ――自分らしさが出てきます。そのためにも親と和解を済ませておくというのはとても大事なことなのです。

8

親と一緒に過ごせる期間は思っているよりもずっと短い

親と深いところでつながることができたら、世代を超えて連綿《れんめん》とつながっていく命、自分の中に受け継がれているもののすばらしさを感じることができるでしょう。

親と和解できていないと、自分の一部に対しての抵抗感のようなものが消えず、そんな自分を愛せないのです。

たとえば親のことを嫌っていたら、その親とそっくりな自分の部分を嫌っているわけです。

でも親のことを１００パーセント愛することができたら、自分を１００パーセント愛することができるようになります。

親とつき合う時間というのは、長いようで、じつは短いものです。

多くの子どもが、18歳ぐらいまでに精神的に独り立ちして、20代の初めには大学や就職で家を出ていくことになります。

一人の人間としてちゃんと話せる年齢が10歳ぐらいだとしたら、それから10年ぐらいしか一緒にいないわけです。そのうちの後半——14、15、16、17、18歳という5年ぐらいは、イライラと反発と怒りなどで、自分自身もわけがわからなくなっているので、ろくなコミュニケーションはないでしょう。そう考えると、親とちゃんと過ごせるのは、実質、数年しかありません。

よくわからないままに10代を過ごして、そして20代は、ちょこちょこと会うくらいで、あんまり会話もしなかったという人も多いと思います。

そう考えると、果たして私たちは、どれだけ親のことを理解しているのでしょう。ほとんどの人たちが、親が実際のところ、どんな人か理解しないまま、30代に突入しているのではないでしょうか。

8

自分を知るために親のことを知っておこう

「親とはいったい、誰なんだろう？」ということを考えていくと、自分が誰なのかというヒントを見つけることができます。

ふだん、自分を知ろうと思っても、なかなか知ることはできない。特に自分のマイナス点というのは、自分ではわからないものです。

でも、親を見たら、一瞬で自分のマイナス部分がわかります。親の嫌なところは、たいてい子どもが受け継いでいるからです。

あなたにパートナーがいる場合は、そのパートナーに聞いてみたら、すぐわかるはずです。

パートナーにいちばんいわれたくない言葉に、「そういうところ、あなたのお父さん（お母さん）にそっくり」というのがあるようですが、思い当たりませんか？

親は自分のシャドー（影）です。こうなりたくないという姿を嫌というほど見せてくれます。

だから、そのネガティブな自分をしっかり見ておかないと、いつも何かを避けて腰が引けたまま生きるようになってしまいます。

親としっかり和解して、友人としてつながりましょう。

会うたびに、そして別れるたびに、感謝を伝えておきましょう。

ふだんの生活でも、親とのつながった感じは、あなたの人生をしっかりとしたものにしてくれるはずです。

8

親との問題を子どもへ引き継がせない

「大人として社会にどう関わるのか」――そのお手本が、両親であるのが理想ですが、ほとんどの親はその責任を果たしていません。そして、どんな子どもも親を厳しく、批判的に見ています。親のようになりたいという人は、たぶん10パーセントより少ないのではないでしょうか。

「自分の親のようになりたい」と思えるようなモデルを持たなかった我々一般人は、親のどこが嫌なのかということも冷静に見ておく必要があります。

もし自分が親になっているのであれば、親とのあいだの問題を解いておかないと、間違いなく、自分の子どもにその問題が受け継がれます。

親と和解して、子どもともすばらしい関係を築いてください。

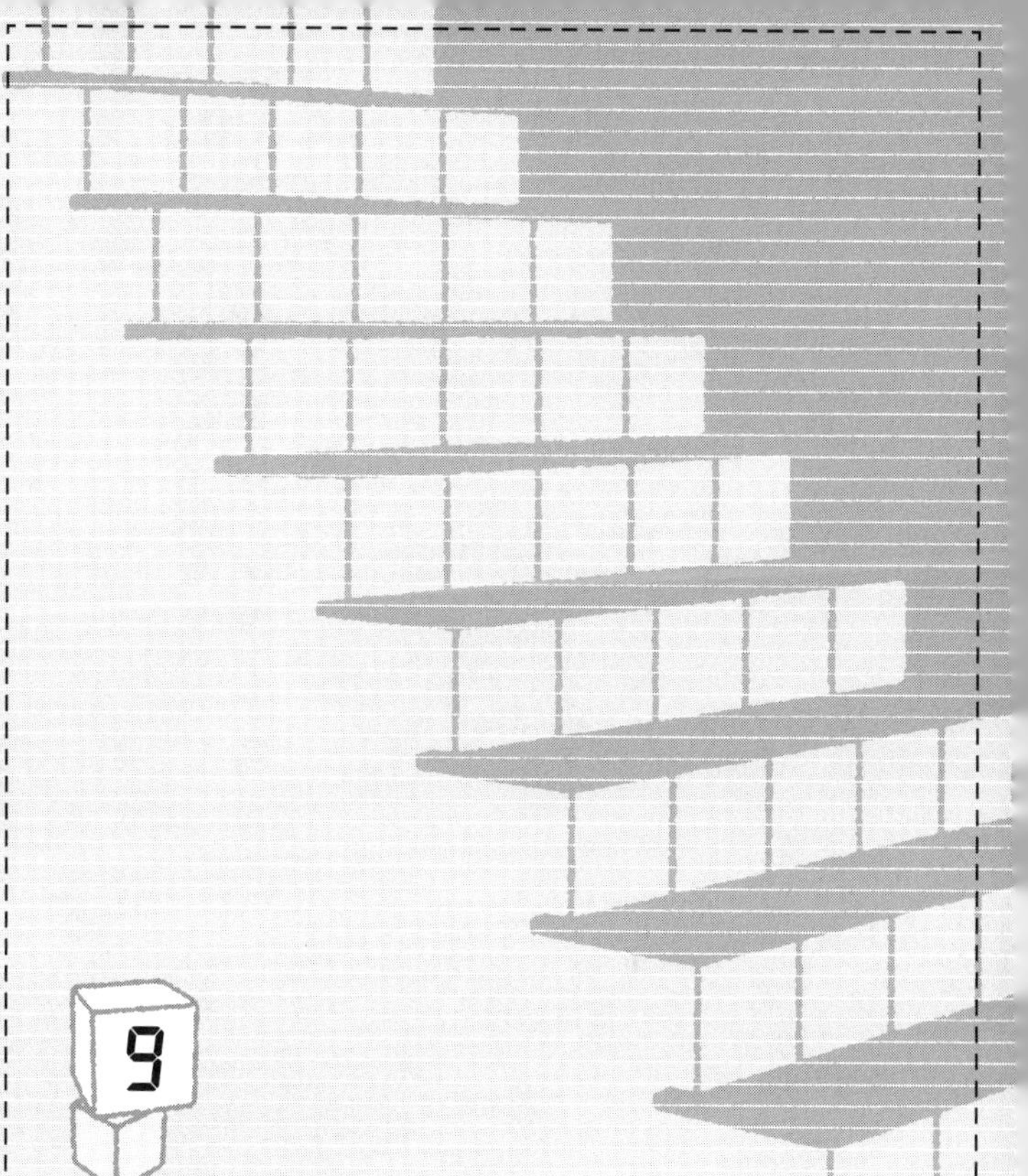

9

年齢の離れた友人を持つ

9

自分の未来をシミュレーションする

自分よりも20歳、30歳上の人とおつき合いすることは、その人の人生を感じることにつながります。それは、自分の未来のシミュレーションになります。

「自分が年を重ねていったときに、どうしたいのか」「自分だったら、どうなるのか」というイメージがわくはずです。

たとえば自分の子どもがまだ小さいというとき、50代の友人の子どもは、もう独立していたりします。

「子どもたちが家から出ていってみると寂しいもので、小さかった頃がなつかしいですよ」

そんな話を聞くと、家に帰って多少子どもが騒いでいても、「いまがいちばん幸せなのかもしれない」と感じるでしょう。ふだんならば怒鳴ってしまう場面でも、子どもたちを抱きしめたくなるかもしれません。

夫に先立たれて、とても寂しいという女性の話を聞いたら、イライラすることがあっても、ふだんより自分の夫に優しくできるかもしれません。

仕事がうまくいかないというときでも、「そんな修羅場がいくつもあったよ」といわれたら、「こんな状態が一生続くわけじゃない」と思えるでしょう。

60歳過ぎて独身という人が、「30代、40代のときにパートナーを見つけて結婚しておけばよかった」と語っていたとしたら、自分は、いまからがんばれば、まだ間に合うわけです。

そんなふうに、将来自分がこうなるだろう、こうなったらどうしようということをリアルに教えてくれるのが、年上の友人です。

お金を持っている人、持っていない人。社長、サラリーマン、主婦などの職業や家族のあり方、趣味の持ち方などなど、できるだけバラエティーがあったほうがいいでしょう。

お金は持っているけれど、人生は失っている人もいます。

お金も人生も健康も失っている人もいます。

いろいろなパターンを見ておくと、「あっ、若い頃にこうやったら、ああなるんだ」というのがわかってきます。

どれがいい悪いではなくて、「自分はどれで生きたいのか」ということを考えるいいヒントになります。

私がやってよかったなと思うのは、30代の頃、60代、70代の人に聞いてまわったことです。

「子育てに関して、何をいちばん後悔していますか?」という問いに、ほとんどの人が口をそろえて、「もっと一緒にいる時間をつくっていればよかった」というのです。

それが、私が育児セミリタイヤしたきっかけです。

年上の友人の一言は、あなたの人生を大きく変える力を持ちます。

9

なりたい40代を想像しておく

30代というのは、10代、20代のように若くもなく、40代、50代のようにおじさん、おばさんでもない……その意味で中途半端な年代ともいえます。

同じ30代でも、外見も内面もまだ20代のような気分の人もいれば、すでに40代の世代が持っている「生活に疲れた感じ」を背負ってしまっている人もいます。30代は自分の意識一つで、どちらの生き方もできる世代なのです。

自分さえその気になれば、20代のようにエネルギッシュに生きることもできる。40代のように落ち着いた感じで生きることもできます。

あなたのまわりには、疲れてしまった40代と、ワクワクして生きている40代の2種類の人たちがいるでしょう。

彼らの違いは何かを見てください。自分よりも、10歳ぐらい上の年齢の友人を持つと、これからの人生の予習ができます。

40代の人に、直接聞いてみればいいのです。

「30代でよかったことは何ですか?」

「30代でやっておけばよかったことは何ですか?」

そういう質問をいっぱいしてまわっているうちに、自分の40代のイメージができるようになります。

あなたが見て、こうなりたいという40代の人はいますか?

彼らは、30代に何をやっていたから、そうなれたのでしょう?

彼らは、まわりの40代の人たちと何が違うのでしょう?

あなたには、「絶対になりたくない40代のイメージ」はあるでしょうか?

なぜ、彼らは、そんな40代になってしまったのでしょうか?

それを避けるために、あなたができることはありますか?

自分の幸せな40代をイメージしておきましょう。

［第9章］年齢の離れた友人を持つ

年齢の離れた人との友情を育む

年上の人とのつき合いはとても大事だということをお話ししましたが、ただの知り合いではなく、友だちになることが、そのポイントです。

20歳も年上の人と友情なんか築けないと思いますか？

そんなことはありません。むしろ真の友情とは、年齢や社会的地位、経済的要素も関係ないところでこそ育つものです。

年の離れた人と友情を育むのは、そう簡単ではないかもしれません。

趣味やボランティアの活動をやると、年齢の離れた友人をつくりやすいでしょう。あなたが興味ある分野で、何かやってみましょう。彼らとのつき合いは、一生の宝になると思います。

9

年下の友人をたくさん持つ

年下の友人をたくさん持つということも、年上の友人を持つのと同じように大切です。

『20代にしておきたい17のこと』で、メンターから「3つの運を持ちなさい」と教えられたことを書きました。

「3つの運」とは、

（1）上から引っ張り上げてもらう運

（2）横から支えてもらう運

（3）下から持ち上げられる運

です。

「年下の友人をたくさん持つ」というのは、「下から持ち上げられる運をつかむこと」につながります。もちろん、そんな実利的なことだけでなく、若い人との友情は楽しいものです。彼らとのつき合いで、忘れかけていた情熱を思い出したり、すがすがしい気持ちになったりするものです。

30代になれば、職場やまわりの人間関係にも慣れて、年下の後輩や部下もいるはずです。

その人たちと友人になれということではありません。仕事や利害関係を超えて、友人関係を持てる人たちと出会う、つき合うことが大事です。

10代、20代の人とつき合っていると、「ああ、そういうふうに考えるのか」というような新鮮な驚きがあります。それが、自分の刺激になっていくのだと思います。

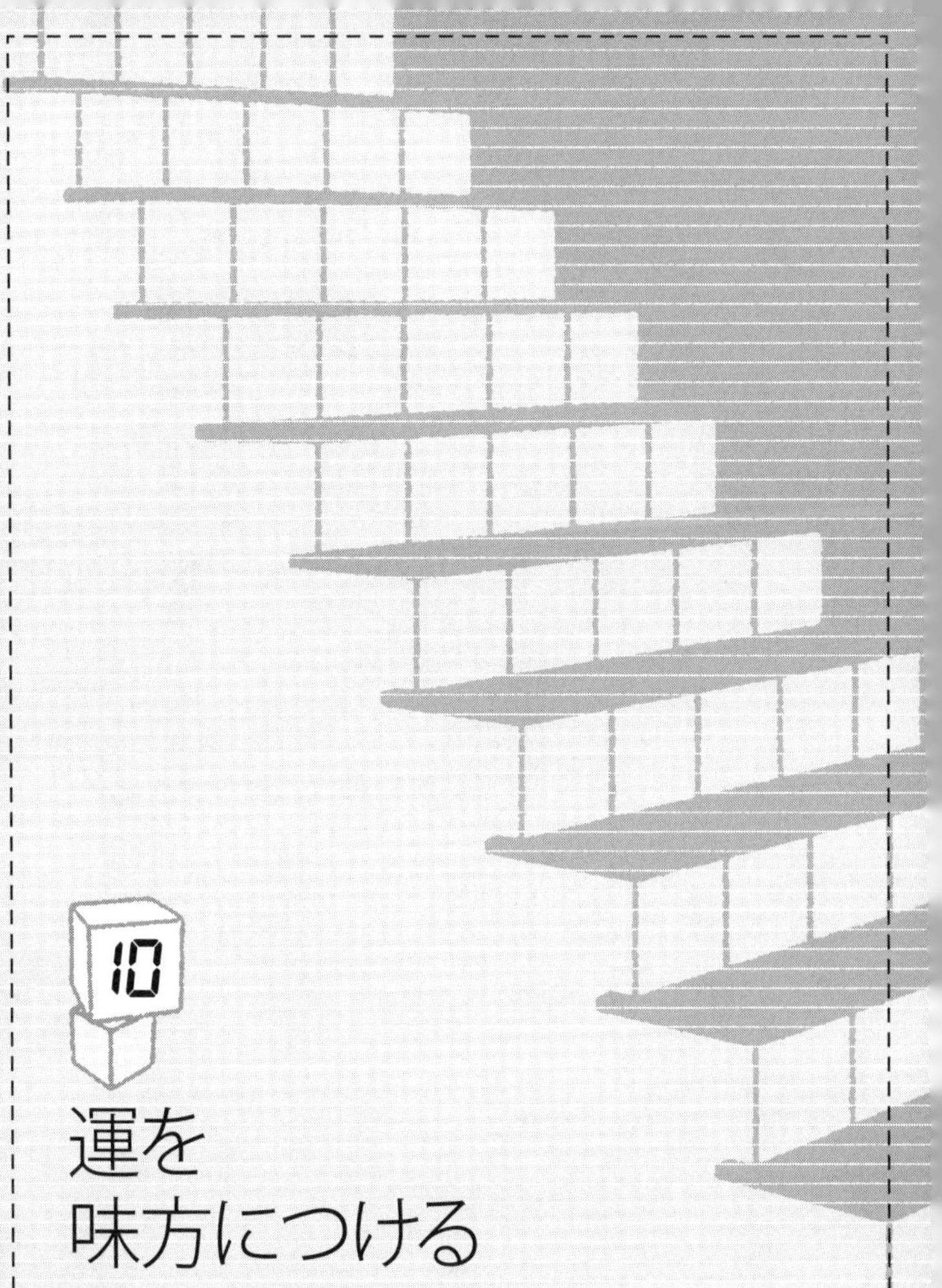

10

運を味方につける

10

運を味方につけられる人と、そうでない人

『20代にしておきたい17のこと』では「運について学ぶ」ということを挙げておきましたが、それは、人生を開いていくための運でした。

30代は、いよいよ実践的な運の話になります。

出会い運やビジネス運、金運、健康運をしっかりつけておくというのが、30代でしておきたいことです。

そのためには仕事はどうしたらいいのか、人間関係をどうしたらいいのかということを考えるのが、30代ではもっとも大切なことだと私は思います。

たとえばお金、健康、人間関係、仕事、仲間、お客さんを大事にしている人がいます。

それとは逆に、感情的に大混乱して、パートナーや友人に不義理をして、仕事にも力を入れず、目の前の楽しいことばかりをやっている人がいます。

この二人が10年後、どうなるのかを想像してみてください。

自分一人の実力というものは限られています。

だから、それを拡大してくれる運を味方にすることが必要なのです。

運を味方につけられる人と、そうでない人。両者の40代以降の人生は、全然違ったものになります。

もしも、運を味方につけず、波に乗れなかったとしたら、嫌な仕事をやって、嫌な人とつき合い、嫌な家族とは向き合えず、両親とも和解できず、友だちもいないという人生になってしまいます。

10

運の波を把握する

運がいい人と、悪い人がいるのは体験的に理解できると思います。でも、運をよくすることが可能だと知っている人は、少ないのではないでしょうか？

私は、学生時代に、運をよくすることができると聞いて、びっくりしました。

メンターの一人は、「自分の運の波をまず把握すること、そして、運を管理することが成功への近道だ」と教えてくれました。

ツキの波に乗っているときには、何をやってもうまくいくし、逆のときは、努力しても無駄だということです。日常のほんの少しの差が、何十倍の実力の差に変わっていきます。詳しくは、『強運を呼び込む51の法則』（大和書房刊）にまとめていますので、読んでみてください。

10 まわりの人の運気を観察する

運について学ぶ最初のステップは、まわりの人の運気を観察することです。あなたのまわりには、いろんな人がいると思います。運のいい人、悪い人がいて、あなたに生きた例を見せてくれることでしょう。

彼らの日常生活を観察しているうちに、運のいい人、悪い人の生活習慣、発する言葉、行動スタイルなどが見えてくると思います。

運のいい人はやるけど、運の悪い人はやらないこと。逆に、運のいい人は絶対やらないけど、運の悪い人はやってしまうことは何なのか、よく見ておくことです。

これは『強運を呼び込む51の法則』でも書いたことですが、冷静に物事を観察していると、じつは、運のいい人にも、悪い人にも、同じようなことが起きています。

病気になったり、リストラにあったり、失恋したり、仕事上で失敗したり……と挙げていけばキリがありませんが、そうした「うまくいかないとき」に、運のいい人が運の悪い人と決定的に違う点があります。それは、一時的な不幸を幸せに変える力を持っていることです。

それを観察して、自分の人生に生かしていくことです。

人生をつらいものにするのか、楽しいものにするのかは自分次第です。そして、そうなるには運の法則が大きく関わっていることに気づくでしょう。

運のいい人には、独特のリズム感がある

私の観察では、運のいい人には、独特のリズム感があります。彼らは、自分の大好きなことを仕事にして、楽しくやりながら、経済的にも恵まれた生活をしています。

また、人間関係や夫婦関係も良好で、つき合う人たちと深い信頼、友情で結ばれています。

彼らの特徴は、静かなワクワク感を持って生きていることです。自分の深いところからわき出てくる情熱をベースに、大好きなことを追いかけているのです。自分の専門分野を持ち、たくさんの人から応援されながら、毎日をエンジョイしています。

彼らは、毎日、自分がワクワクするかどうかを基準にして生きています。いつも、自分にとって大切で楽しいことしかしないので、幸せで平安な毎日です。その雰囲気が、何ともいえない魅力を放って、人を惹きつけることになります。結果的に、その人が何かをやるとき、助けたい、応援したいという機運を生み出すのです。

これが、運の本質です。「応援されやすい人になる」ことが運をつくり出すのです。

運は気を動かすことで動き出します。運のいい人は、たえず、いいリズムで動き続けています。あなたの運のよくなるスイッチをオンにするために、自分の中の気を動かしましょう。

身体を動かすのもいいでしょう。いい映画を見て心を動かす（感動する）のもありです。散歩したり、旅行に出たり、人に会ったりすることで、気が動きはじめます。

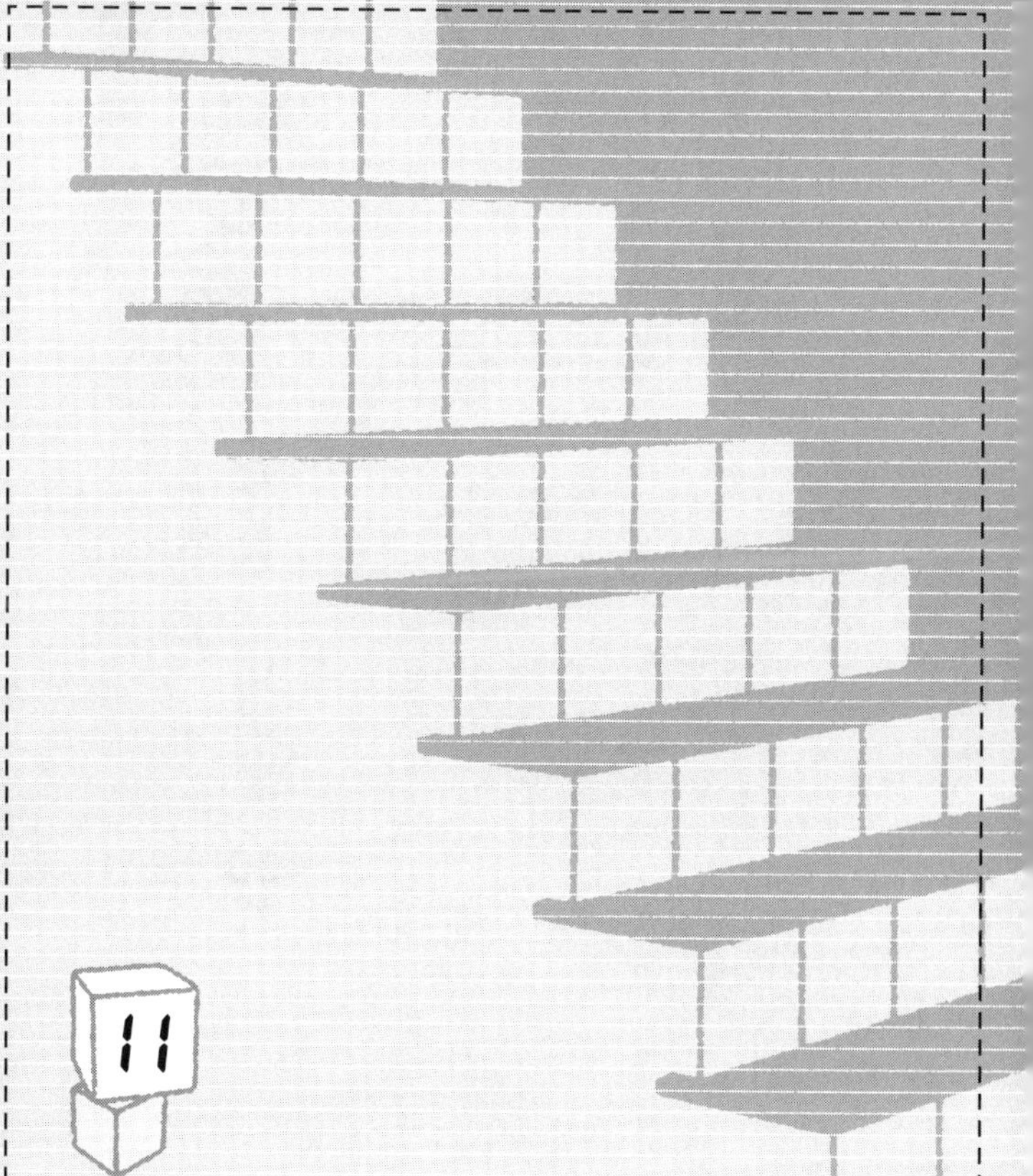

11

自分の内に潜むダークサイドを癒す

11

びっくりするほど「ダークな自分」に出会う30代

20代はどんなにハチャメチャなことをしても、基本的には、若気《わかげ》の至《いた》りで済まされます。でも、30代ではそれでは許されないこともあります。自分でもびっくりするようなことを引き起こしてしまうこともあるのです。

ふだんまじめな生活をしている人が、急にギャンブルにはまったり、おとなしい専業主婦だった人が、浮気相手とかけ落ちして、まわりを驚かせることがあります。世間的な常識に従って生活していたのに、何かのきっかけで、いままでの生活をリセットするかのように変えてしまう人がいます。

そこまでいかなくても、自分の中のダークなエネルギーに気づいて戸惑うのも、30代です。

たとえば両親の介護が始まって、寝られない生活が続いたことがきっかけで、両親に対して早く死んでほしいと密かに願ったことに落ち込む人がいます。子どもが生まれて育児ノイローゼとなり、幼児虐待をしてしまいそうな暴力性が自分の中にあるのに気づいて愕然《がくぜん》とする人もいます。

また、パートナーに対する怒りや自分でも驚いてしまうような異常な嫉妬など、どうしようもない感情に振り回されることも、30代では多く起きます。

20代は激情のままに行動して、いろいろな大失敗をするものですが、それらはたいていリカバーできます。しかし、30代に出てくるダークサイドは、気をつけないと、すべてを破壊してしまう可能性があります。

気がついたら、家庭を捨てて、仕事も続けられなくなった、経済的に破綻《はたん》してしまったなど、自分の悪いパターン——20代から引きずっている悪いパターンが一気に膿《うみ》のようにどっと出るのが30代なのです。

自分の心のケアをしていなかった場合には、「自分らしく生きる」ことがうまくいかないと、うつ病などに悩まされることがあるかもしれません。

飲みすぎたり、食べすぎたりしても、20代のうちはなんとかなったとしても、30代では、確実に身体に出ます。20代に不摂生《ふせっせい》している人は、必ず30代で一度は身体を壊すようにできているのです。

また、そこまでの破滅的な行動に出なかったとしても、他人に対してとても冷たい自分が出てきたり、パートナーに対してひどいことをいう部分が出てきたりすることもあります。

部下を怒鳴り散らしてしまうなど、20代のときには、「あんな上司になりたくない」と思っていたようなことを、知らずしらずに部下にしている自分に気づく。自分でもびっくりするようなダークサイドが噴出するのが30代です。

11

すべてをリセットしてしまいたくなる誘惑と向かい合う

なぜ、ダークサイドが30代に出やすいのでしょうか。

30代の後半――38、39歳という40歳になる直前に、無意識のうちに絶望を感じるからだと思います。

20代から30代の切り替わりは、あっという間です。まだまだ希望も残っているので、恋愛、仕事、未来にネガティブな思いを持つ人はあまりいません。

しかし、30代から40代への移行は、ときにとても重いことがあります。「もう40になるのに自分は何をやっているんだ」というような切迫感が、自分を抹殺《まっさつ》したくなる行動に追い込むのではないでしょうか。

いままでの人生を振り返ったときに、「もういい加減にしてくれ」というような気持ちになって、全部をリセットしたくなるのでしょう。

あなたにも、結婚生活、仕事、人間関係のすべてをゼロクリアしたくなる瞬間がやってくるかもしれません。

社会的に許されることもあれば、許されないこともあります。もちろん、そこから新しい人生を始めて、幸せになる人もいますが、そこからが人生転落の始まりになってしまう人もいます。

人生をリセットして、パートナーを変えた、それが運命だったというような人もいるので、それをしてはいけないということではありません。けれども、自分がそういう「危ない時期」にいることは認識しておいたほうがいいでしょう。

11 自分の中に、毒や怒りをため込みすぎない

「まさか、あの人が離婚するなんて！」

「まさか、あの人が会社を辞めるなんて！」

まわりの人にはどんなに愚《おろ》かに見える行動でも、本人は本気です。

それほどまでに、自分の人生をリセットしたくなるときがあるものなのです。

そして、そんな衝動はときに、嫉妬や競争心、幼児虐待やドメスティックバイオレンスというかたちで現れることもあります。

「誰にも理解されていない」とか、「自分が自分でいられない」というフラストレーションが、そんな「暴力的なエネルギー」を爆発させてしまうのです。

自分の中にため込まれた「暴力的なエネルギー」をどう処理していくのか。

これが心の平安を保つうえで、重要な課題になります。

自分の中に潜む、ある種の「狂気」や毒というもの——たとえば、セクシャルな行動であったり、ものを壊したくなったり、自分のキャリアをダメにしたり、誰かのことを罵倒《ばとう》したくなったりする衝動を、どうすればいいのか。

まずは、「暴力的な気持ちになること」を受け入れることです。

「こういう感情もあっていい」と、その存在を受け入れられたら、自分を追い詰めないで済みます。

必要以上に自分を責めたり、パートナーを責めたりということがあるかもしれません。社会を恨むこともあるでしょう。しかし、そうした怒りの矛先《ほこさき》を、仕事の関係者、自分、パートナー、子どもや親にも向けないようにするための努力が必要です。

自分一人で向き合うのが難しい場合は、専門家の助けを借りましょう。暴力的な感情を持つことは、異常ではないし、専門家に助けてもらうのは、恥ずかしいことではありません。

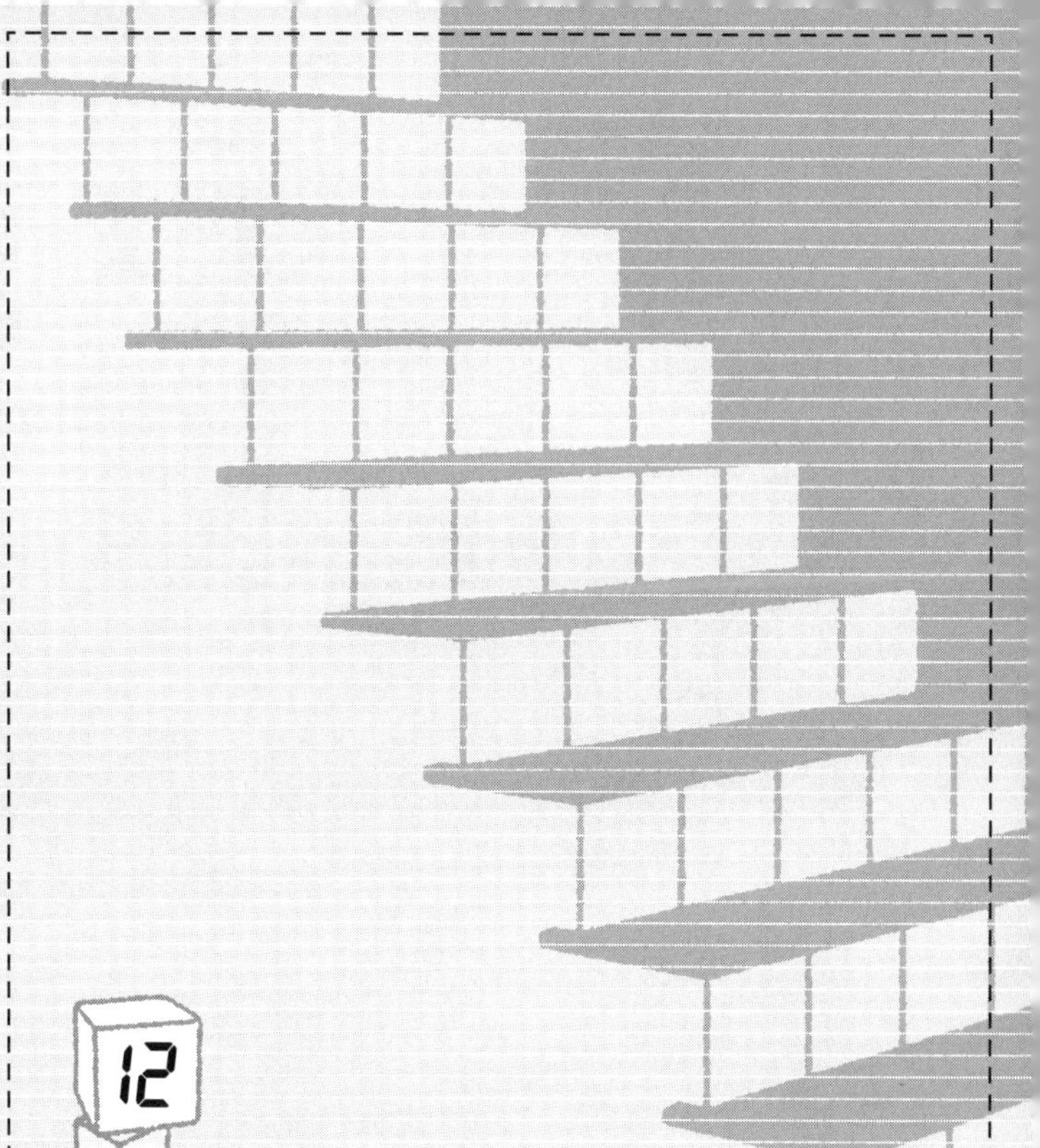

12

メンターから学び、教えを次にまわす

12

メンターに出会いましたか？

『20代にしておきたい17のこと』では、「メンターを探す」ことを挙げました。どんな人をメンターにしたらいいのか。多くの人たちの人生を見ることが大切だと書きました。

30代になったあなたはもう、「メンターになってほしい」という人に出会えたでしょうか。

もし、出会っていないのなら、ぜひともメンター探しの旅に出てもらいたいと思います。まず、どういう人にメンターになってもらいたいのかを考えることからスタートしましょう。あなたの理想の人生をイメージして、そういう生き方をしている人を探すのです。

メンターの重要性は、30代になっても変わることがありません。専門分野がはっきりしてきているとしたら、20代の頃よりも、メンターはもっと重要かもしれません。

なぜなら、どのメンターにつくかで、あなたの人生は全然違ったものになるからです。メンターが、その分野で一流の仕事をしている人なら、あなたも20年後、一流になっている可能性があります。

じつは、あなたがいま考えるより、はるかに身近に、メンター候補の人はいるものです。彼らは、自分の大好きな分野で、ある程度の実績を出している人でしょう。有名人でなくても、「自分が本当にやりたいこと」をよく知っていて、自分の分をわきまえている人です。

そういう人にメンターになってもらうことができたら、あなたは幸せで、すばらしい人生への入り口に立ったも同然です。

12

複数のメンターを持っておく

「メンターをどうやって探せばいいのでしょうか？」という質問は、30代の方からもたくさん寄せられます。それだけ、ぴったりしたメンターと出会うのは難しいのでしょう。メンター探しは、パートナー探しと似ています。

まず、あなたが本気で求めることがスタートです。メンターは、いま勤めている会社の上司かもしれませんし、パーティーで会う人かもしれません。私の経験やまわりの話だと、どこにでも可能性があるように思えます。

大学の先輩にそういう人がいた、親戚に紹介された、営業先の社長さんがメンターになってくれたという話はよく聞きます。あなたが求めるところに、メンターは現れるということなのでしょう。

「生徒の準備ができたときに、先生が現れる」という言葉がありますが、まさしく、メンターと弟子の関係は、そういう感じだと思います。

あなたが、どんな分野のメンターを望んでいるのかをはっきりさせて、とにかくまわりに聞いてまわってください。きっと、メンターは現れます。

メンターに関して、多い質問の一つに、「メンターは一人じゃないとダメですか？」というのがあります。いろんな考え方があるでしょうが、私は、複数のメンターがいたほうがいいと考えています。

感情的に自由でないメンターについた場合、あなたが誰か別の人からも教えを受けているというだけで、怒られたり、出入り禁止になったりということもあるでしょう。私にもそういう経験があります。武道とか、華道とかの場合には流派があって、同時に複数の流派に弟子入りすることはルール違反になることもありますが、人生のメンターであればＯＫでしょう。

いろいろなメンターから教えを受け、あなた独自の人生を、楽しみながら、つくり上げてください。

12

メンターの教えを丸呑みにしない

私の体験から、一人ですべての分野を教えられるメンターは、あまりいなかったように思えます。

ビジネスでは天才的なのに、家族関係はめちゃくちゃだったり、人間関係はすばらしいのに、お金の面では、受け取り下手だったりするのです。そういう彼らの人生をよく観察しておきましょう。ビジネスで多様なプロジェクトをまわしていく力と、妻や家族と親密な関係を持つセンスは違います。

自分のメンターは、何が得意で、何が苦手なのかをよく見ておくと、あなたが「違うな」と思う部分は引き継がなくて済むようになります。メンターのすばらしいところ、まだ発展途上のところをよく見極めておきましょう。

12

受けた教えを次にまわす

30代になったら、自分が「教える」立場になることも大事になってきます。最初は、自分が教えるなんて気恥ずかしいというような気持ちになるかもしれませんが、人は誰かに教えることで、その学びを深めることができます。

「自分はまだ教える立場じゃないんだけどな」と思っても、でもあなたが教えることで、自分より下の世代である10代、20代の人にとって役に立つことがあります。また、自分でも、教えているうちに初めて「なるほど！」と思うことが出てくるのです。

教えはじめることのメリットは、あなたがいつまでも学ぶ側でいられなくなるということに気づけることです。学んでいる限り、人生で前進しなくてもいいと思いがちですが、教えはじめたらそうはいきません。自然と、自分のビジネスを立ち上げたり、本を書いたり、結婚したり、何らかの動きが出てくるはずです。

だから、もしも機会があれば、「自分にはまだ早い」などと断ってはいけません。あなたが受けた教えを次にまわすことで、教えのサイクルは完結します。親になって初めて親の気持ちがわかったのと同じように、メンターになって初めて、メンターの気持ちがわかります。

彼らもまた最初から自信満々だったわけではなく、「これでいいのだろうか？」「この方法で、間違っていないだろうか？」と迷いながらも、自分の知っていることを、あなたに教えてくれたのです。

そんな彼らの喜び、自信、疑い、幸せを感じながら、自分がメンターになることで、昔のメンターと横並びになっている自分を発見することでしょう。

そのとき、あなたは、あなたのメンターと親友になれる対等性を見出せると思います。

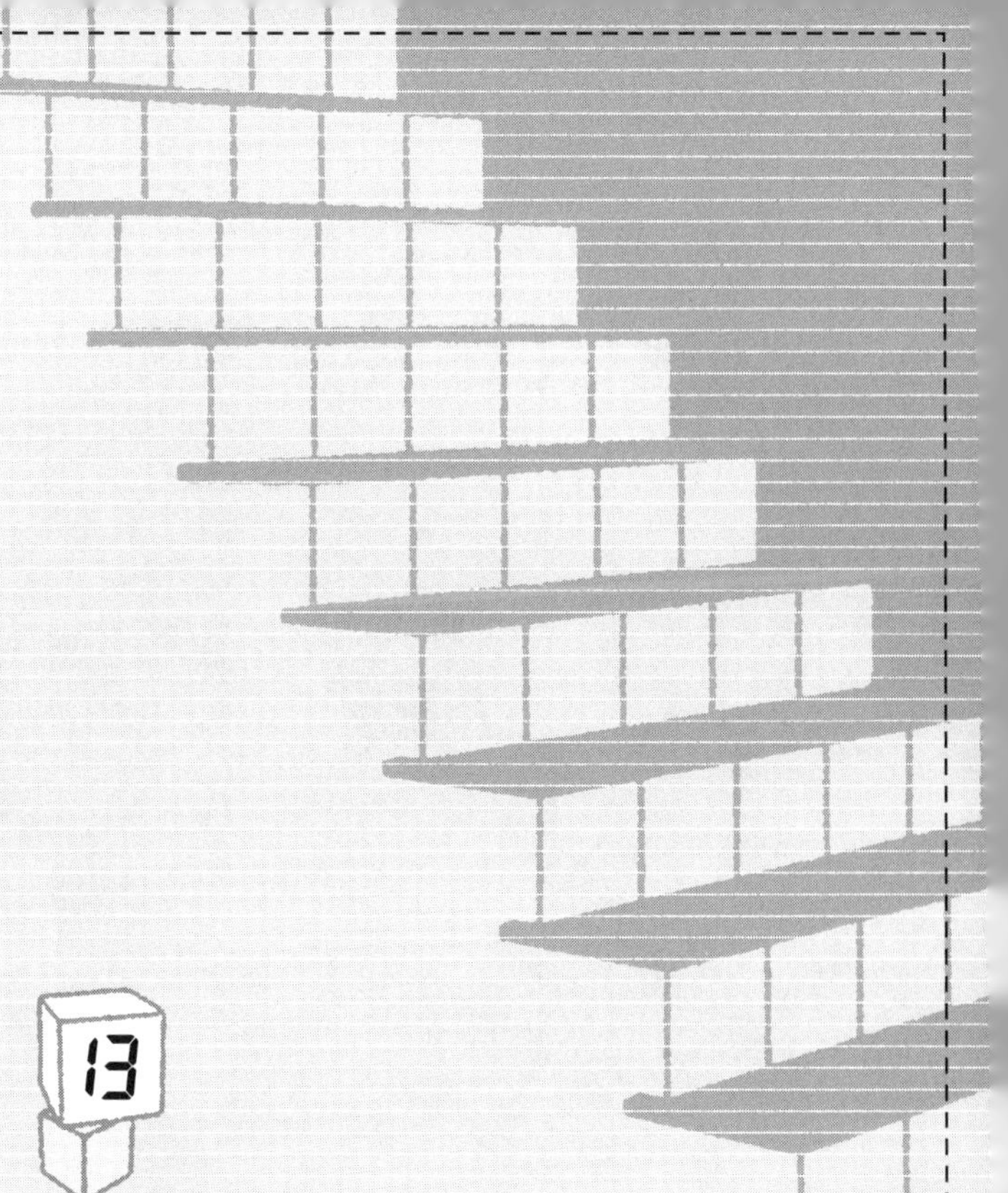

13

人脈を金脈に変える

13

人のつながりが、あなたに豊かさをもたらす

あなたは、何が人生に豊かさをもたらすと思っていますか？　才能？　チャンス？　それとも、運でしょうか？　正解は、人です！

20代はいろんな人と出会い、そのたびに、あなたなりに感じるものがあったでしょう。30代に出会う人は、あなたの人生をつくっていきます。一緒に仕事する人、一緒に遊ぶ人の質が、あなたの今後の人生を決めるのです。

ですから、慎重につき合う人を選ばなければいけません。

人格的にすばらしい人で、経済的に成功している人たちとつき合えば、あなたもそうなります。人をだましてでも出し抜いてやろうという人たちと一緒にいれば、あなたもそういう人になるでしょう。

13

一生のあいだに親しくつき合える人は、せいぜい20人

あなたは、一生のあいだに何人と出会って、何人と親しい関係を持つのでしょう。幼稚園、小学校に始まり、学校時代に出会う友人、仕事仲間、家族、これまでの人生で、いろんなつながりを持ってきたと思います。

生涯を通じて親しくする人という視点で見渡していくと、年賀状のやりとりをしたり、数年に一度会ったりするという人は除外するとして、あなたが心を許せる相手は何人ぐらいいますか？

あなたの食べ物、男性や女性の好みまでも把握しているぐらい親しい人というふうに考えると、ぐっと少なくなるのではないでしょうか。

家族やごく親しい友人を入れても、20人もいるかいないかというところでし

よう。

たくさんの「知り合い」の中から、どの20人とつき合うかで、あなたの人生は楽しいものにも、つまらないものにもなります。20人が、豊かで楽しい人たちで、いつもあなたの幸せを願ってくれているか、あるいは、あなたが世話を焼かなければいけない人たちなのかで、あなたの生活が違ってくるのは当然です。

言い換えれば、その20人があなたの人生の幸福度を決めるのです。その20人のうち、元々の家族数人は選ぶことができませんが、それ以外の人たちは、あなたが選ぶことができます。

また、20人でなく、１００人と親密につき合うことも可能です。その人たちのつき合いの広さと深さが、あなたの人生をもっと楽しいものにしてくれるでしょう。

すべては、あなた次第です。

あなたがつき合いたい20人は、誰ですか？

13

自分主催のパーティーを開く

人脈を広げる、いちばん早い方法は、自分が主催のパーティーを定期的に開くことです。それは、ホームパーティーのようなものでもかまいません。「あなたが呼びかけて、人が集まる」というのが大事なポイントです。

会費制にして、食べ物、飲み物を割り勘にしたとしても、来た人は、「招待してくれて、ありがとう！」となるはずです。そのパーティーが楽しければ楽しいほど、感謝されて、それがあなたの人脈運を上げてくれるのです。

私も、20代の頃からパーティーをやる習慣がありました。それによって、どれだけ人間関係の輪が広がったかわかりません。

何よりも大切なのは、あなたが広がる人脈の中心になることです。30代でそういうパーティーをやり続けると、中には、そこからカップルも誕生します。そのままゴールインして結婚した場合には、その二人は、あなたに一生感謝してくれるでしょう。

私がそんなかたちで縁を取り持って結婚した人は、これまで数十人になるでしょうか。お見合いパーティーを開いたことはありませんが、結果的に、自然とそうなったのです。

パーティーをやるメリットは、他にもあります。多くの人と短期間で知り合えることです。まわりの人も、あなたがそういうパーティーをやっていると知ることで、自分の友人を連れてきてくれることになります。

13

人とのつき合いと学びにお金を惜しんではいけない

人脈は、不思議なもので、与えれば与えるほど、その質がよくなります。

そのためには、ふだんから、交際の幅を増やしておくことです。

たとえば、友人や仕事関係の人との交際費に年間10万円かける人と、１００万円かける人とでは、人脈の広がりが違ってくるはずです。

同じように、本代に、年間1万円かける人と、30万円かける人とでは、10年後の人生は、全然違うものになっているでしょう。

人とのつき合いや新しいことを学ぶのに、お金を惜しんではいけません。その二つは、将来もっともいい利子をあなたに払ってくれるでしょう。

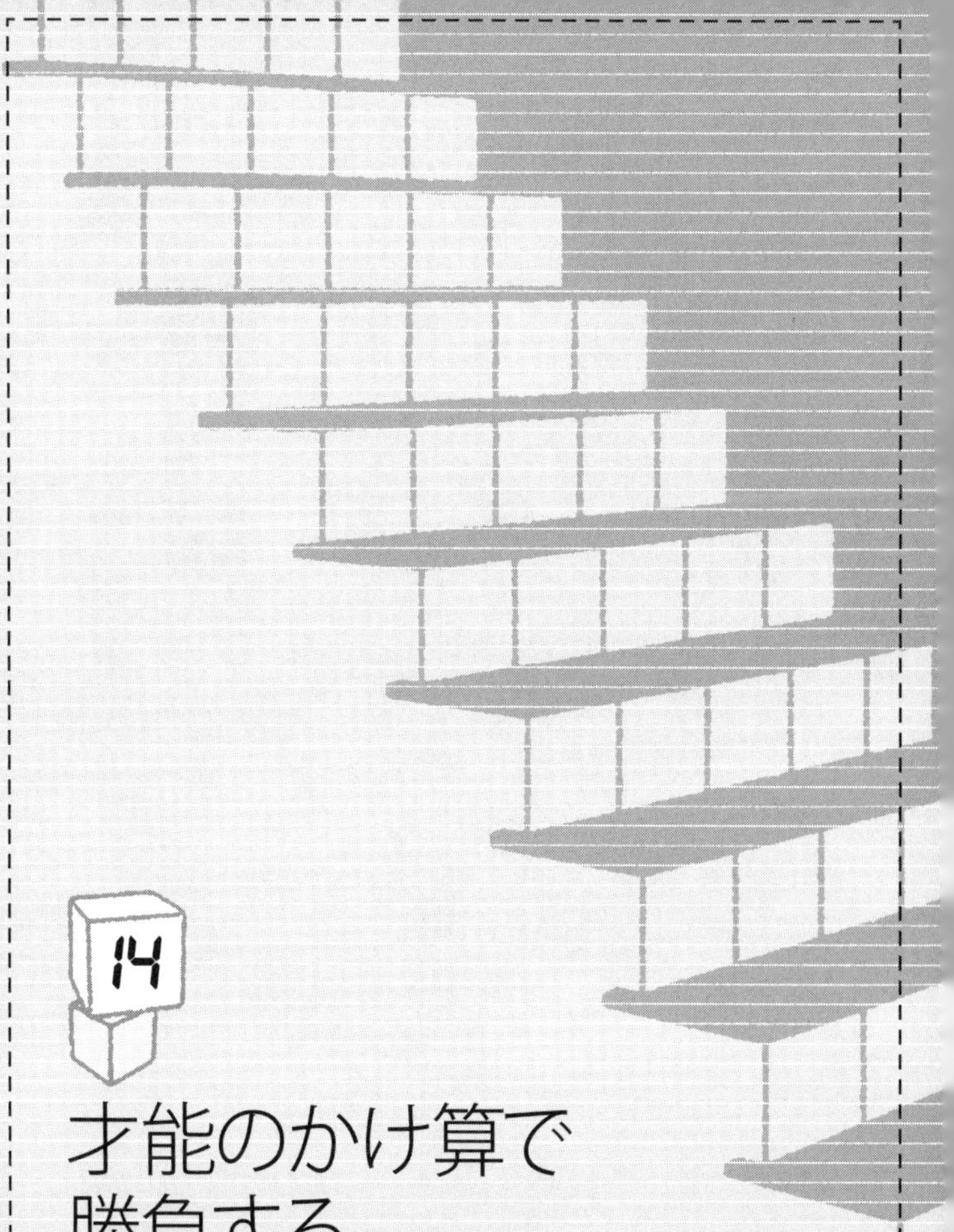

14

才能のかけ算で勝負する

14

中途半端な才能しかないことに落ち込む

30代は、あなたが自分のできる最大のことにエネルギーを集中させる必要があります。けれども、実際は、ほとんどの人が、自分の才能は何なのか、わからないまま、目の前のことに追われています。

20代のうちに考える才能とは、「セールスの才能がある」「コツコツ調べていくことが得意だ」というような単純なものです。けれども30代になったら、才能とは必ずしも、そう単純ではないことに気づくのです。

しかし、いずれにしろ、どれをとっても、

「自分の才能は、中途半端だ！」

と落ち込むのが30代です。

20代のときには、自分に天才的な才能が一つもないことに落ち込みます。

30代では、中途半端な才能がいっぱいあることに対して落ち込むのです。

私も、会計、通訳、コーディネーター、コンサルティング、カウンセリングなど、多岐にわたる才能があるにもかかわらず、どれもいい加減な感じがして、「自分はダメだな」と考えていました。

でも、自分の才能の一つひとつが中途半端でも、それをどうかけ合わせていくかで人生は変わってきます。ずば抜けた一つがなくても、「才能のかけ算」が大事なのだと気づいた人は成功します。

考えてみると、一つの才能だけで成果を出している人は少ないのです。

たとえば歌が抜群にうまい、絵がうまいという才能を生かして成功するのは、ごく限られた人たちです。

それよりも、一つの才能は小さくても、かけ算をすることで、人生で結果を出せるようになる。そのことを知った人が強いと私は思います。

才能のかけ算で可能性は倍増する

才能のかけ算で、可能性を増やしていくのが人生です。

だから、自分に何があるのかを知る必要があるし、何がないのかも知らなければならない。そのうえで、自分にない才能を持っている人、あるいはその代わりになるものを探してくるのが人生なのです。

それはパートナーかもしれないし、ビジネスだったら仲間かもしれません。そのかけ算が効けば効くほど、人生は成功するのです。

私も20代のときには、このかけ算がよくわかりませんでした。自分の才能が何かもわからなかった。けれども、あるとき、自分の才能がすべて中途半端であることに気づいたのです。

会計も中途半端、通訳も中途半端……。でも、それなら「かけ算」をしていけばいいことにも同時に気づいたのです。そうして実行してみると、自分でも思いがけないほどの結果に恵まれるようになりました。

いま、お金と幸せをテーマに、本を書いたり、独自の講演会やセミナーを全国的にやるようになりましたが、それができているのも、自分の才能が、多岐に渡っているからです。それぞれの分野の専門家でなくても、お金、ビジネス、家族、癒しの要素をすべて俯瞰《ふかん》して語れる人が少ないために、ワンアンドオンリーの世界をつくることができました。

いまは、多彩な才能を持つ方たちに助けていただいて、想像もできなかったすごいことができていることを実感するのですが、それもこれも「才能のかけ算」のおかげです。

そういうかけ算をまわりの人と楽しみながらできるかが、30代になったら、とても大事だと思います。

14

どんな才能もゼロをかけたらゼロになってしまう

前の項で「才能のかけ算」について書きましたが、30代の前半では、まだまだそのことに気づけない人がほとんどではないでしょうか？

だから、つい一人でがんばろうとしてしまうと思います。でも、自分だけががんばっても、たいした結果は出ないのではないでしょうか。

それでは苦しいだけです。たとえ、それが結果に結びついても、ともに喜んでくれる人はいないのです。それよりも、自分のいちばんやれるところを楽しくやればいい。自分にないものはかけ算で、借りてきたらいいのです。

考えてみれば、20代で夢見たような天才的な才能なんて、自分にはないことに気づくでしょう。たしかに、それは正しいのです。

しかし、誰の中にも、「才能」はいっぱいあって、その組み合わせで勝負できるかどうかで、結果はずいぶん違ってきます。

ここで気をつけなくてはいけないのは、かけ算で最後にゼロがかけられたらゼロだということです。

チームの誰か一人がどうしようもなくて、ゼロの人がいるとしましょう。そうすると、他の全員がどれだけがんばっても、結果は出ません。

いまの仕事がうまくいっているとしたら、それは自分の才能だけではない。誰かとのかけ算がうまくいっているという証《あかし》です。逆に、自分のまわりの誰かがゼロだった場合、それは「ゼロ」になってしまう可能性さえあります。

才能をかけ合わせるときには、ぜひとも気をつけておきたいことです。

14

「0・9の人」だけとつき合ってはいけない

人脈を金脈に変えるためには、自分の才能を把握するとともに、かけ算する相手を冷静に見極める必要があります。

どんな才能も、それが100あったとしても、ゼロをかけたらゼロになることは、先ほどお話ししたとおりです。だから、せめて1倍にしてくれる人を探すわけです。

ただし、このときに「0・9の人」がいます。これが、才能のかけ算をするときに注意しなければならないポイントです。

その人は「1」に近いので、つい「いいや」と思いがちですが、「1」じゃなく、「0・9」なのに注目してください。

誰も、ゼロやマイナスの人とつき合ったり、かけ算する人はいないでしょう。

でも、「0・9の人」とはつき合ってしまうのです。特に、自分に自信がないと、ついこの種の人とかけ算しようとします。

自力で道を切り開くのではなく、まわりが何とかしてくれるのを待っているようなタイプが、この「0・9の人」です。

こういう人とつき合うと、長いあいだのかけ算のうちには、自分は下がっていきます。

「0・9の人」がもしも5人いて、一緒に仕事をしたら、あなたの才能はどうなってしまうでしょうか。たった数人のかけ算でも、半分になってしまうのです。

傍目《はため》には厳しく見えることがあっても、チームを組むときは、そこを見極めることも、30代でしておきたい大切なテーマといえるでしょう。

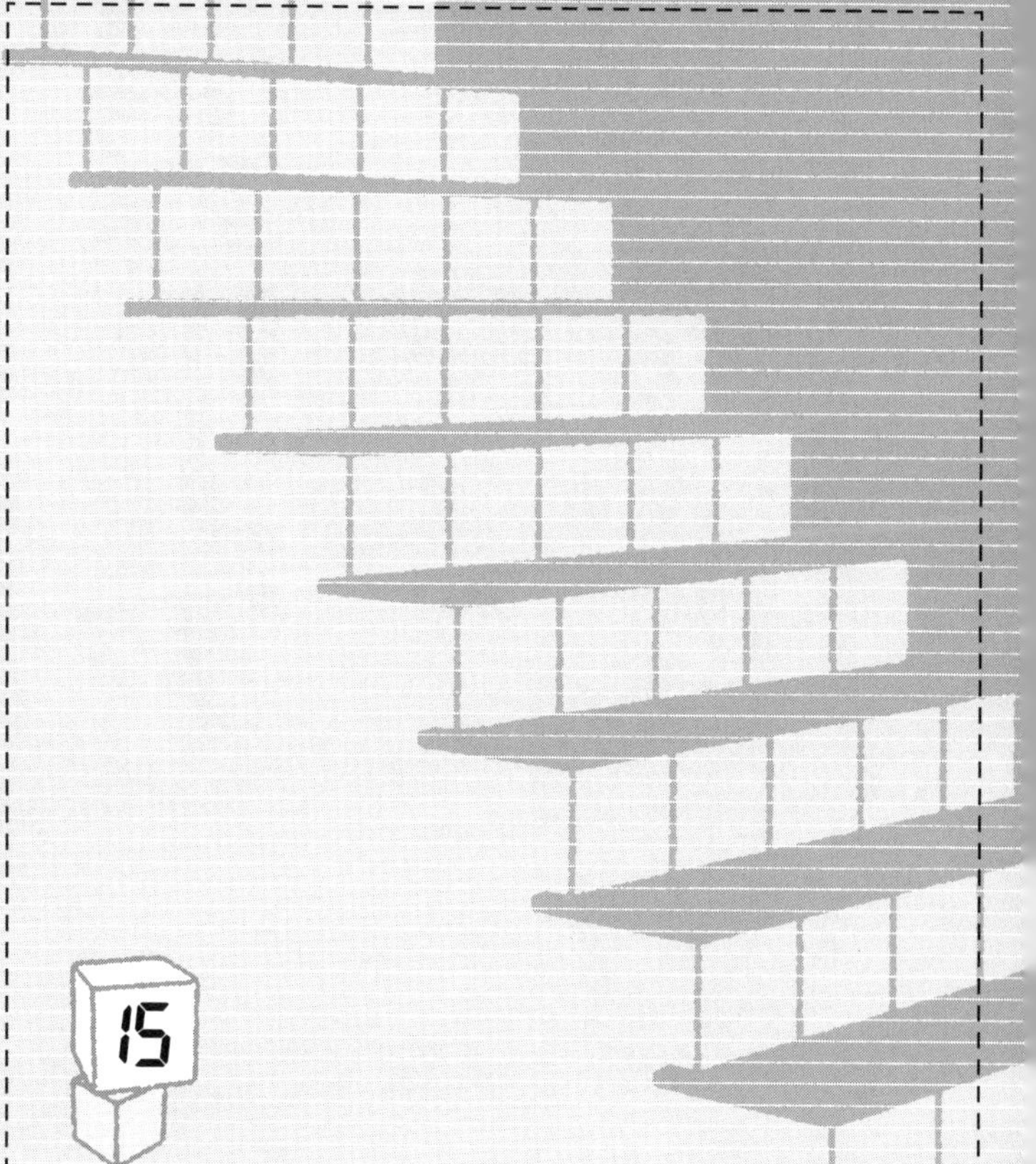

15

大好きなことを仕事にする

15

どうして嫌いな仕事を続けていくのか

『20代でしておきたい17のこと』では、「大好きなことを見つけよう」という話をしました。30代では、一歩進んで、大好きなことを仕事にしてもらいたいと思います。

大好きなことを仕事にするというと、「お金がなくても、楽しければいいや」という消極的なイメージがあるかもしれません。

しかし、現実はその逆で、大好きなことを仕事にしている人は、嫌いなことをしている人よりも、はるかに成功する可能性が高いのです。

また、大好きなことをしている本人は、幸せになれるし、そんな幸せな人と一緒にいられる家族、仕事仲間やお客さんも、幸せになれるでしょう。

そういうことからも、大好きなことを仕事にするのは、とても大切です。

幸せになりたければ、大好きなこと以外の仕事をしてはいけません。なぜなら嫌いな仕事をやるのは、あなたの健康面にも、精神面にも、経済面でも、悪影響を与えるからです。

20代なら、すべての仕事はいい経験として将来につなげることができます。しかし、30代以降も嫌いな仕事を続けていては、その人の大切な部分が蝕《むしば》まれていくでしょう。嫌いな仕事をずっとやることは、緩慢《かんまん》な自殺をしているようなものです。

あなたのためにも、家族のためにも、職場の人のためにも、お客さんのためにも、仕事を変えたほうがいいでしょう。

仕事に１００パーセントの愛情を注げない人は、その仕事をやる資格がありません。なぜなら、どんな仕事も、愛情を注がれるだけの価値があるからです。

嫌々やっていては、その仕事がかわいそうです。もちろん、それをやっている本人がいちばん大変なのは、間違いありません。

15

自分が望みさえすれば行きたいところに行ける

未来の歴史学者は、「21世紀の最大の悲劇は、人類の大半が嫌いな仕事にしがみついていたことだ」と分析するだろうと、私は考えています。

未来の人は、私たちが、好きでもない仕事のために、縛られている姿が理解できないでしょう。ですが、そんな理不尽は、身近にいっぱいあります。

私たちの祖父の時代、大人の男性は、徴兵制によって戦争に行き、知らない人を殺すように命令されていました。いまの感覚では信じられないことです。

私が小さい頃、戦争を体験した叔父に、「なぜ、行ったのか」と聞いたことがあります。彼は、ただ「みんな行ったから、しかたなかったんだ」と苦しく、寂しそうに語っていました。そんなに恐ろしい戦場に、みんなが行くからという理由で行っていたのかと、ショックを受けたのを覚えています。

私たちの孫の一人が、聞くでしょう。

「どうして、おじいちゃんの時代は、過労死のリスクもあるのに、1日何時間も満員電車で通勤して、嫌いな仕事をやっていたの？」

そう聞かれて、あなたは何と答えるでしょう？

冷静に考えれば、自分のやりたくないことを長期間やるのは、あまり健康的ではありません。一種の精神的虐待だともいえるでしょう。

もし、自由意思に反して、誰かを監禁して無理矢理労働させていたら、それをした人は、監禁罪で逮捕されます。しかし、本人が自分の大嫌いなことを長時間やっていても、それは犯罪にはなりません。加害者と被害者が同じだと、犯罪が成立しないのは、よく考えると不思議です。

私は、嫌いな仕事をやるのは自分への虐待だと考えています。あなたはどれだけ、自分を大事にしているでしょう？

15

大好きな仕事は、きっと見つかる

そうはいっても、大好きなことが何かわからないし、好きなことで食べていく自信がないという人も相当いるのではないかと思います。

私の親友で、ベストセラー作家でもある望月俊孝さんは、「成功指定席」という考え方を著書で紹介しています。どんな人にも、その人がいちばん輝く席があるという意味ですが、私も、どんな人にも、その人にぴったりの仕事はあると思います。

残念ながら、多くの人は、自分の才能が何かを考える時間を持たないまま、学校の勉強や仕事に追われて現在に至っていると思います。

時間をとって、自分は誰なのか、自分の才能は何か、何をやればハッピーなのかということに向き合えば、きっと方向性が見えてくると考えています。

自分の好きなことがわからないという人のために、2年前から、ライフワークスクールという大人向けのスクールも始めました。2日間で、自分の子ども時代からやってきたことを振り返り、得意なこと、人にほめられることなどを書き出し、自分の才能を発見できるようなカリキュラムをつくりました。

本来なら、そういうことは、中学生ぐらいまでにはっきりさせたほうがいいのでしょうが、30代の受講生がいちばん多いようです。

興味深いのが、自分の大好きなことが何かを見つけた人は、全然それまでと違う人生になることです。ある受講生としばらくぶりに会うと、まったく輝きが違っていました。聞いてみると、自分の好きな分野の仕事に転職して、彼女もできて、とても充実しているとのこと。

やはり、好きなことを仕事にして、好きな人がいる人生は、楽しさが全然違うということなのでしょう。

15

どんなときも、ワクワクすることを選ぶ

人生には、自分のやりたいことをやっていく人生と、自分の嫌いなことをこなしていく人生の二つの生き方があります。

好きなことだけやって生きたいといっても、そう簡単にいかないと思う人も多いでしょう。もちろん、いきなり仕事を辞める必要はありません。

やることは、簡単です。これから、一生のあいだ、目の前の選択肢の中から、いつもワクワクすること、怖いけど楽しそうなものを選ぶだけでいいのです。

いったん、目の前にあるワクワクを選択すると、それが次の面白いことにつながっていき、あとは芋づる式の楽しい人生が待っています。私にとっては、そういう、次に何が来るのかわからないのがいちばん面白い人生です。

もちろん、そんな人生は不安定に見えるでしょう。でも逆に、安定ばかりを選ぶとどうでしょう。人間の心理とは面白いもので、安定は欲しいくせに、まったく固定されたら、それはそれで退屈を感じてしまうのです。

たとえ不安定でも、自分が楽しめる人生を選びたいと考えたら、30代が最後のチャンスとなるでしょう。40代になったら、常識のほうが勝ってしまい、そんな保証のない人生は選択できなくなります。

ワクワクする人生を選びたいなら、いまがそのときです。

どういう人と一緒にいたら、ワクワクするのか？

どういう仕事をすれば、ワクワクするのか？

どこに住めば、ワクワクするのか？

逆にいえば、それをやらないと、やらないぶんだけ、どんどん自分の大事な部分が死んでいきます。

あなたは、何をやると、心からワクワクできますか？

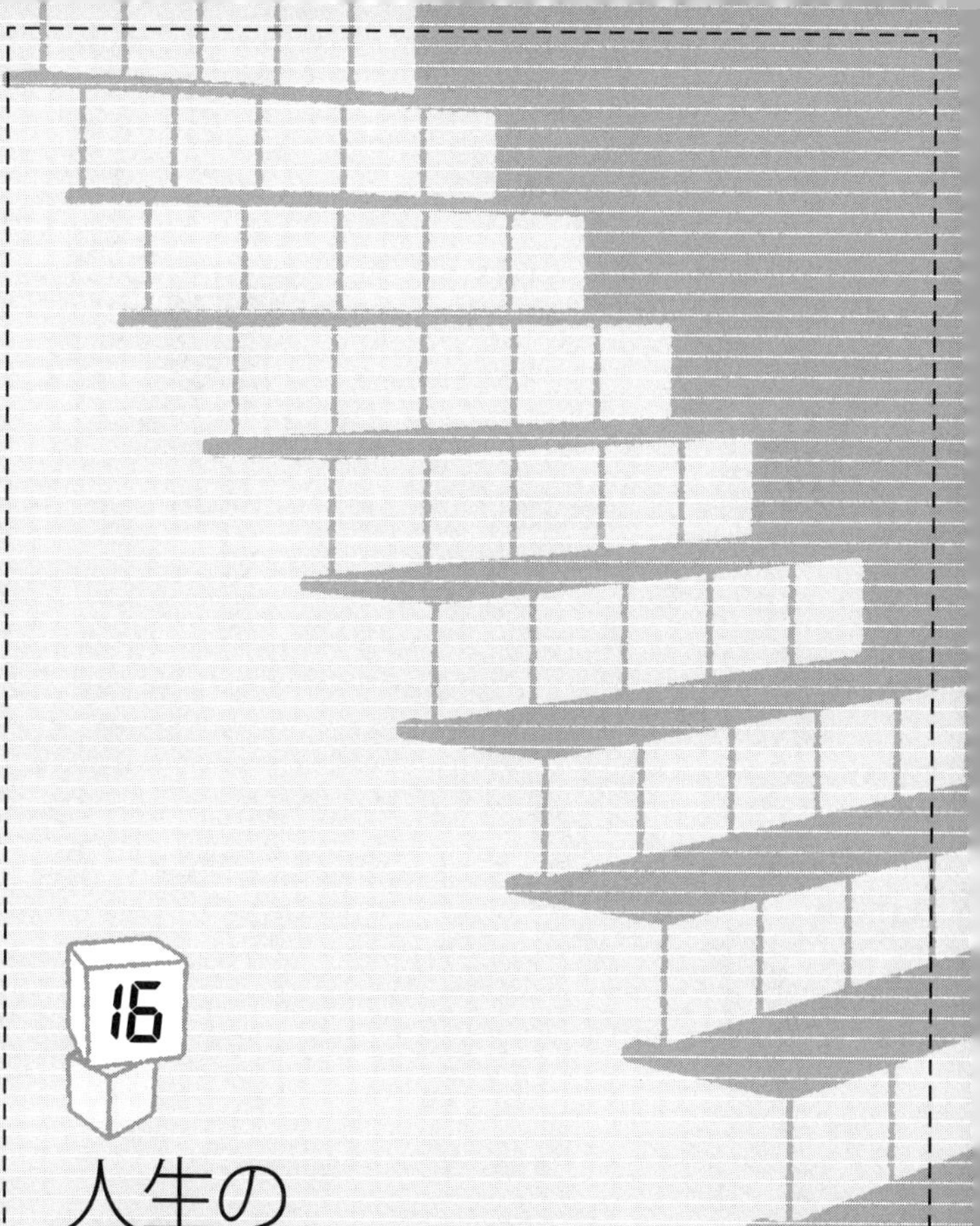

16

人生の目的を知る

16

何のために生きているのか？

20代は、とかく表面的なものに、目が行きがちです。持ち物、社会的地位、車、家などがそうです。パートナーシップでも、相手の外見に惑わされがちです。目の前の人が美人だったり、イケメンだったりしたときに、中身はあまり吟味《ぎんみ》せずに、つい飛びついてしまったという経験がある人もいるでしょう。

30代になってくると、さすがに表面的なものに振り回されることなく、中身をよく見る余裕が出てきます。

人生でも、社会的に成功することだけが大切だと感じられなくなり、逆に、20代の頃は意識しなかった家族、友人、子どもなどが、かけがえのない財産に感じられてきます。

そういう視点から見ると、「何のために生きているのか？」という根源的な問いが、ごく日常的なテーマになるのも、30代だといえるでしょう。

20代の頃にも、人生の目的を考えたことはあったでしょうが、哲学的すぎたり、現実的すぎたりしてバランスが取れないことが多いものです。

30代に入って、結婚したり、親や親しい親戚を見送ったり、子どもが生まれたりすると、自然と命について考えるようになります。

そして、この地球で過ごす自分のこれからの時間についても、真剣に考えるようになるでしょう。忙しい日常の中で、「いったい、自分は何をやっているのだろう？」とむなしくなることもあるかもしれません。

また、本当にやりたいことが見つかって、それに向かって、全力投球を始めている人もいるでしょう。

そのように、30代では、現実的な人生と向き合って、これまで以上に、生きる目的を考えるようになっていると思います。本書でお話ししてきたとおり、自分の限界を見たうえで、日常生活の中で、否応なしに生きている意味を考えるからでしょう。

人生の目的というと、大げさな感じがしますが、要は、何を大切にするのかです。家族との関係なのか、ライフワークなのか、個人的な夢なのか。自分にとってかけがえのない、とっても大切なもの、それが人生の目的です。

あなたには、そういうものがあるでしょうか?

何であれ、生きる目的がしっかりある人は幸せです。

それは家族と楽しい時間を過ごすことであっても、エベレストに登ることであっても、学校をつくることであってもかまわないのです。

朝起きて、心からやりたいことがあるのは、とても幸せなことです。世界中の人がどう考えようと、あなたが本当に大切にしたいものを見つけてください。

そして、それを中心に毎日を送ることができると、あなたは、この世界でもっとも恵まれた、幸せな人になれるでしょう。

人生の目的は、自分らしく生き、人とつながること

人生には、3種類の生き方があると私は考えています。

それは、「オブリゲーション（役割）ベース」「モチベーションベース」、そして、「インスピレーションベース」の生き方です。

オブリゲーション（役割）ベースの生き方は、やらなければいけないことだらけです。親として、子どもとして、上司として、部下として「To-do リスト」に追いかけられています。

一方、モチベーションベースの生き方は、やりたいことを情熱的にこなしていきます。しかし、いったんやる気が低下してくると、がんばってモチベーションをアップする必要があります。自分にご褒美を与えるなど、たえず気合いを入れ続けなければ、情熱は長続きしません。こういう生き方を続けると、どこかに無理が出てきます。

インスピレーションベースの生き方は、深いところから、静かな情熱がわき出すような生き方です。そのため、一時的に興奮して全速力で走ったり、途中でやる気をなくしたりすることはありません。

人生のもっとも中心の部分で確信しているので、迷ったりすることはないのです。かといって、狂信的なわけでもなく、とても穏やかで、それでいてパワーに満ちています。

インスピレーションベースで生きている人と出会うと、深いところで何かを感じます。あなたには、深い泉からわき出るようなインスピレーションがあるでしょうか？

もし、それを30代で見つけることができたら、その泉からは、幸せ、心の平安、豊かさが、生涯に渡ってわき出てくることだと思います。

私は、最終的な人生の目的は、自分らしくあることと、そして、そのままで人とつながることだと思っています。自然と自分らしくいればいいので、何も足したり引いたりする必要がありません。

そして、豊かな人生とは、「自分の大好きな人と、大好きな場所で、自由に時間を過ごすこと」です。これ以上のぜいたくを私は知りません。これは多額の費用もかかりませんし、何か才能がないとダメだということもありません。

いまの私にとって、ファーストクラスで世界一周旅行することよりも、家族で河原を散歩することのほうがよほど豊かな体験です。

そのためには、「自分が誰か」を思い出すことです。自分が何をやりたいのか、何をやると幸せなのかを知ることです。

そのためには、目の前の選択肢の中で、いちばんワクワクすることを選び、大好きなことを毎日やることです。それが、きっと、あなたが生まれてきた目的につながっていきます。

16

ライフワークを始めよう

ライフワークとは、生まれつき才能があって、あなたがこの世界でやるべき活動です。

それは、あなたの大好きなことの周辺にあります。人と語り合うこと、家事をこなしたり、子育てをする中で、それと出合える人もいるでしょう。自分の中の、ものを作ったり、人と人をつないだりする才能に気づいて、それを始める人もいるかもしれません。

必ずしも、それは職業で表されるわけではありません。あなたがそれをやっているだけでワクワクできたり、楽しくなったりするような活動です。それが、ライフワークだと考えてください。ライフワークとは、あなたがそれをやっているだけで、深い満足感を得たり、自由な感じがしたりする活動です。

自由に自分の才能を分かち合えたら、それだけで、やめられないような楽しい感覚を持つことになります。

いったん、自分のライフワークを発見した人は、そこから人生が大きく変わります。なぜなら、いままでやってきたこと、体験したことは、すべてライフワークのためだったのだと、深いところで気づくからです。

大変だったこと、悲しかったこと、うれしかったことのすべてが、あなたのライフワークを進めるためだったという気づきは、深いところからわき出る泉のように、あなたの心を癒してくれます。

自分の生まれてきた目的は、たいていあなたがいちばん苦しかったこと、つらかったことに関係しています。ライフワークを完成させるために、その準備段階がどうしても必要だったのです。

16

30代は、自分の才能を発見する最後のチャンス

ライフワークの周辺にあるあなたの才能は、不思議なもので、ちょっとしたことがきっかけで開花します。知り合いに勧められたり、会社でたまたま何かの仕事を任されたりして、普通の人ができる何倍もの早さで、自分がそれをこなせることに気づきます。

自分のしている仕事が面白くなって、ちょっと本気でやってみたら、圧倒的な実績が出て、周囲を驚かせたりするのです。

本人だけでなく、家族、友人ですら、その人にそんな才能があることがわからなかったりするのです。もしかしたら、当の本人がいちばん驚いているかもしれません。

それは、たとえばセールスの才能であったり、スピーチ、プロデュースの才能だったりします。そうして、才能は発見されるのです。

才能は、別のたとえでいえば、地下に埋まっている金の鉱脈のようなものです。人によっては浅いところに埋まっている場合があるし、地中深く埋まっている場合もあります。

地震のような突発的なことがきっかけで、その金が地面に出てくることもあれば、自分で掘り下げていかないと、深すぎて届かないこともあります。

いずれにしろ、20代であきらめていたことが急に実現したり、ないと思っていた才能がひょっこり出てきたりするのが、30代です。

自分の才能らしきものを見つけたときに、どう行動するのかがあなたの今後の人生を決めます。汚い石だなと思って捨ててしまうのか、「何かわからないけど、もう少し磨いてみよう」と思うのか。せっかく見つけた石を捨てることなく、磨く作業——才能を開発する作業に取りかかる。それをするかしないかで、大きく人生が違ってきます。

40代に入ると固定観念があまりにも強すぎて、才能が発見される余地はだいぶ少なくなってきます。出会う人もだいたい決まってくるし、仕事も同じようなことをやるケースが増えてきます。

すると、自分の才能らしき石を偶然発見しても、無視してしまうようになります。本人がそれと認めなければ、才能は、どれだけ可能性があったとしても、埋もれたままになります。

この世界には、才能にあふれる人がたくさんいます。しかし、その才能を上手に使って生きている人は、ごくわずかです。

30代で新しい才能を見つけ切れなかった人は、その後、才能を使って生きることは難しいでしょう。そういった意味で、30代は、才能を開花させるラストチャンスでもあるのです。

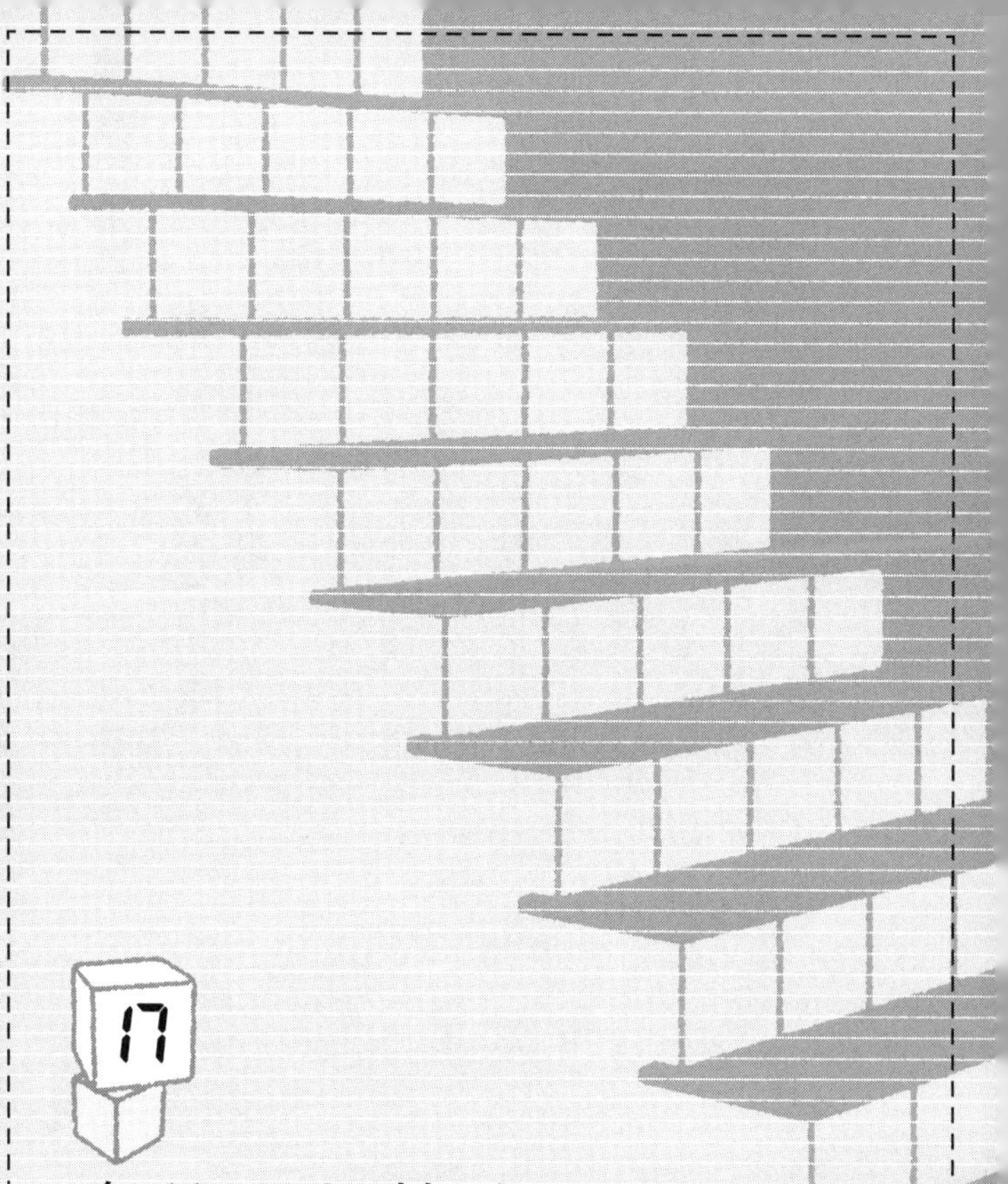

17 自分のお葬式の弔辞を書いてみる

17

自分が死ぬところをイメージする

私が19歳から1年間住んでいた風呂なしアパートは、お寺とお墓が並ぶ町にありました。毎朝、5つも6つもお葬式を横目に見ながら、通学したものです。往復だと、1日10回以上見ることもよくありました。

普通なら、そんな縁起の悪いところに住みたくないと思うでしょう。いまにして思えば、ちょっと変わっていた当時の私は、この機会を自分の人生をシミュレーションするチャンスに変えようと思いました。

道すがら、ずらっと並ぶお花の数や会社名を見て、亡くなった方の人生を想像するようにしてみたのです。

たとえば、何百人も参列者がいるお葬式もあれば、寂しいお葬式もあります。社会的に成功している人のお葬式は一見すると華やかですが、参列している人は、仕事の関係者ばかりで、あまり死を悼《いた》んでいるという印象は持てませんでした。

逆に、小さいながらも、参列している人が亡くなった方の死を心から悼んでいる様子は、遠目にもあきらかで、生前はどんなにかすばらしい人だったんだろうと想像できました。

どう生きるのかを考える人は多いでしょうが、死んだら、自分のお葬式がどうなるかまでは、意識がいっていないのではないかと思います。

そうやって、人のお葬式を何百も見てきて、自然と自分のお葬式のことも考えるようになりました。もちろん、まだ20歳前なので、自分がすぐに死ぬとは考えてはいませんでしたが、将来、自分が死んだときに、どんな規模で誰が来るんだろうと想像しました。

17

想像した人生を検証しよう

あなたは、自分が死ぬことをイメージできますか？

若いうちは、なかなか自分が死ぬことはイメージできないかもしれません。

これまで人生で落ち込むことはあっても、だからといって、自分がすぐに死ぬとは思っていない人がほとんどでしょう。

30代前半の場合には、親もまだ生きているし、もしかしたら、それまで家族や親戚で死んだ人を見たことがないという人もいるかもしれません。

「人生は有限だ」という当たり前の感覚がないのが30代なのです。

でも、最初にお話ししたように、自分の人生には「限り」があります。そのことをわからないといけない年齢になったのです。

あなたも、いつかは、愛する人に別れを告げて、この世を離れるときがやってきます。

たとえば、三十数年後、あなたは、70代で人生を終えたとします。

そのときのあなたのお葬式をイメージしてみましょう。

誰が出席してくれるでしょう。何人ぐらいが来てくれているでしょうか？

あなたの親友が、お葬式に出てくれています。そして、あなたの人生に思いを馳せています。

いったい、あなたの人生は、どんなものだったのでしょう。

やりたかったことは、すべてできたでしょうか？

思い残したことはなかったでしょうか？

楽しいこと、うれしいことがいっぱいあった人生でしょうか？

それとも、苦難に満ちた人生だったでしょうか？

あなたの人生のハイライトは、どんなものだったでしょう？

最高にうれしかったことは、どんなことだったでしょう。

また、人生で一番つらかったのは、どういうことだったでしょう。

あなたの人生を感じてみましょう。

どういう不安を抱えていたのでしょう。そして、その結果、どういう行動を取ったのでしょうか？

人生でリスクを冒していたでしょうか？

それとも、安全に生きたでしょうか？

あなたを愛してくれた人は、誰でしょう？

あなたが、亡くなる直前に、やっておいたらよかったと思ったことは何でしょうか？

そして、なぜ、そういう後悔をしたのでしょうか？


そうやって、考えていくと、あなたのいまの人生が浮き彫りになってきます。

17

最高の人生が始まるスタート地点に立つ

自分が何をやって、何をやらなかったのか、そして何をやり残したのか――いろいろイメージしてみると、あなたのすばらしさがよくわかってきます。同時に、やればできたのに、臆病になって勝負しなかったことも……。

さあ、では、現実に戻ってください。あなたは、まだ生きています。

そして、いま、まだ十分に若い年齢です。もっと若い人と比べたら、少し歳は取っています。しかし、人生をあきらめるような年齢ではありません。

やりたいことは、ほぼ何でも可能です。ビジネスでも、恋愛でも、お金でも、趣味でも、旅行でも、あなたがやりたいことは、何でもできます。

これから、前の項で「やらなくて後悔するだろう」とイメージしたことをやってみてください。

臆病になって、あきらめかけたことをいまからやってみましょう。

愛している人に、愛を伝えましょう。楽しいことをいっぱいやりましょう。

あなたには、無限の可能性があります。

すばらしい仕事を持つことも、パートナーや子どもを持つことも、あなたが望めば、道は開けます。

しかし、あなたが何も考えずに、何も行動しなければ、何も起きません。

すべては、あなた次第です。

30代は、人によっては、「人生の終わり」の始まりに感じるでしょう。でも、可能性を見ている人にとっては、最高の人生の始まるスタート地点です。

最高の人生をいま、スタートさせてください。

おわりに

30代を振り返るときがきたら

この本を最後まで読んでくださって、ありがとうございました。こういうかたちで、私の気づきを分かち合わせていただけたことを大変うれしく思います。

この本には、自分の30代を振り返って、「知っておいたらよかったな」ということをまとめました。まわりの30代から70代の人たちにもインタビューをして、彼らの「30代にしておけばよかったこと」も入れています。

その結果、この本に書いたことは、30代だけでなく、40代、50代、60代にも当てはまることがいっぱいあると思います。

自分の制限をはずすこと、限界を知ること、運を味方につけること、ダークサイドを癒すことなどは、すべての年代で知っておくといいと思います。

この本には、私がいままで数多くのメンターから教わったことの集大成ともいえる内容が入っています。

私の30代は、すでにお話ししましたが、父の死、娘の誕生、本の出版、新しい事業をスタートさせるなど、激動の10年となりました。この10年のあいだに、いままでの人生でもっともうれしかったこと、悲しかったこと、感動したこと、悔しかったことなどを体験しました。

29歳のときに考えた「自分は誰か」の答えと、39歳のときに考える「自分は誰か」の答えは、まったく別になっていました。そして、ありがたいことに、40代のいまでは、幸せで自由な自分を楽しめるようになりました。

30代の10年間で、私は、情熱はあるけれど混乱した青年から、ビジョンを持ったリーダーへと成長していったと思います。また、自力でがんばる20代を卒業して、たくさんの人に応援される30代を過ごしました。

30代の10年間で、20代のときには想像できないほど、人生がすばらしくなりました。そんな私の30代に、「いったい何が起きたのか?」をいま冷静に振り返ると、大きなセルフイメージのシフトがあったのではないかと思います。

本気で30代を駆け抜けてきたおかげで、40代は、とても充実しています。

いま、30代の自分にかけてあげたい言葉は、「もっと楽しもうよ！」です。

30代は、人生でもっとも悩むことも、迷うことも多い10年になるでしょう。でも、だからこそ、人生でもっとも楽しめる時代です。

将来、自分が70歳になったときを想像して、30代のことを振り返ってみてください。いまの苦しい状況も、70代のあなたから見たら、ほろ苦く、そして甘い思い出になっているはずです。いまが楽しい人は、心からそのすばらしさを堪能《たんのう》してください。

人生の醍醐味《だいごみ》は、すべてを味わい尽くすことにあります。つらいこと、悲しいことは、人生という料理の味に、深みを加えるスパイスだと考えましょう。

目の前に起きることに一喜一憂せず、ぜひすべての瞬間を楽しんでください。

２０１０年９月

本田　健

本田 健（ほんだ・けん）
作家。神戸生まれ。経営コンサルタント、投資家を経て、29歳で育児セミリタイア生活に入る。4年の育児生活の後、執筆活動をスタート。YouTube番組「本田健の人生相談」は4700万ダウンロードを記録。代表作に『ユダヤ人大富豪の教え』『20代にしておきたい17のこと』など、著書は150冊以上、累計発行部数は800万部を突破している。2019年には英語での書き下ろしの著作『happy money』を刊行。イギリス、ドイツ、イタリア、スペイン、オランダ、ロシアなど、同作は世界40ヵ国以上で発売されている。大好きなことをやっていきたい仲間が集まる「本田健オンラインサロン」も好評。

だいわ文庫

30代《だい》にしておきたい17のこと

著者　本田《ほんだ》 健《けん》

二〇一〇年九月一五日第一刷発行
二〇二四年一月二〇日第五一刷発行

発行者　佐藤 靖
発行所　大和《だいわ》書房
東京都文京区関口一―三三―四 〒一一二―〇〇一四
電話 〇三―三二〇三―四五一一

装幀者　鈴木成一デザイン室
本文デザイン　椿屋事務所
編集協力　ウーマンウエーブ
本文印刷　シナノ
カバー印刷　山一印刷
製本　ナショナル製本

ISBN978-4-479-30301-5
乱丁本・落丁本はお取り替えいたします。
http://www.daiwashobo.co.jp